Bernhar

Franz Ludwig von Erth..., Fürstbischof von Bamberg und Wuerzburg, Herzog zu Franken

Bernhard

Franz Ludwig von Erthal, Fuerstbischof von Bamberg und Wuerzburg, Herzog zu Franken

Inktank publishing, 2018

www.inktank-publishing.com

ISBN/EAN: 9783747796832

All rights reserved

Franz Ludwig

von Erthal,

Fürstbischof von Bamberg und Würzburg, Herzog zu Franken,

von 1779—1795.

Ein Lebensbild aus den letzten Jahrzehnten des deutschen Reichs

von

Bernhard.

Tübingen, 1852.

Verlag der H. Laupp'schen Buchhandlung.

— Laupp und Siebeck. —

Vorwort.

Die Biographie, wie jede andere Form der Geschichte, gewährt Interesse je nach dem Belang der geschilderten Verhältnisse und der darin hervortretenden Persönlichkeiten. Wir glauben, daß vorliegende Biographie nach diesen beiden Beziehungen dem Leser Belehrung und Interesse bietet.

Es ist etwas Wahres an dem Worte, aus der Geschichte lerne man eben nichts als Geschichte. Daß z. B. die Lektüre fremder Revolutions = Geschichten nicht immer große Staatsmänner und Politiker in bewegter Zeit ziehe und bilde, sondern leicht die reelle Auffassung der eignen Zustände und unsrer Pflichten verwirre, ist nicht wegzuläugnen. Etwas Anderes ist es aber vielleicht doch um vaterländische Geschichte, schon darum, weil sie — einige brillante Partieen ausgenommen — den Meisten weniger bekannt ist.

Die letzten fünf Jahre haben gezeigt, wie erfüllt von den Schatten des alten deutschen Reiches noch die Einbildungskraft des deutschen Volkes ist, zugleich aber auch, wie wenig die Erinnerung daran eine feste, klare Gestalt hat, wie wenig Einsicht in die Verhältnisse des alten deutschen Reichs, besonders in die praktischen Rechtsverhältnisse, unter denen unsere Großeltern lebten, bei uns guten Deutschen daheim ist. Solche unbestimmte Vorstellungen und Phantasten dienen nicht gerade zur politischen Reife, zur Stärkung des Auges und des richtigen Pflichtgefühle, zur Stählung des Willens. Die geschichtliche Wahrheit leistet schon etwas, indem sie solche falsche, aber nicht unwirksame Vorstellungen und damit das Dichten und Trachten nach hölzernen Schüreisen, das Vertrauen darauf nach Kräften entfernt. Irrthum und Schaden verhindern, ist auch etwas geleistet.

Und gerade die letzten Jahrzehnte des deutschen Reichs, welche, abgesehen von den glänzenden Persönlichkeiten eines großen Friedrich und Josephs II., dem Deutschen meist ziemlich unbekannt sind, sind für uns wichtig, wichtiger als die Zeiten der Hohenstaufen. Während die Sturmfluth der letzten Jahre auch durch wirre Mischung der Erinnerungen an die Zeiten jener alten und an die der letzten Kaiser des deutschen Reiches gesteigert wurde, geht man jetzt in gewissen Kreisen und Regionen, — mit etwas klarerem Bewußtsein seiner Zwecke — mit Vorliebe auf die Zeiten vor 1806, vor 1789 zurück. Man verspricht dort die alten soliden Fundamente der Gesellschaft und des Staats, das deutsche Recht nicht etwa erst zu legen, sondern aus dem Schutt der Zerstörung aufzufinden und aufzudecken. Und es ist ganz richtig, daß jene Zeit vor Stein, vor Robespierre, nach der Wahrheit dargestellt, uns aufs Klarste zeigt, wie der Adel in Deutschland waltete und blühte, als er nicht nur aller Orten den Fuß auf dem Genik, die Hand in dem Beutel des Bürgers, sondern auch manchen Orts den Fürsten im Bann seiner Vorrechte hatte. In den geistlichen Landen ist dieß am deutlichsten nachzuweisen, weil der Adel hier nicht nur durch persönliche Gunst, sondern von Rechtswegen die Vorhand bei jedem Genuß, Schutz gegen die Lasten hatte, wie dieß ja die Träger der Gesellschaft, des Staats, ansprechen können. — Es wird aus Folgendem auch erhellen, warum der Adel in den alten Reichslanden Oestreich und nur Oestreich als seinen Schirm ansah und darum noch ansieht, worin ihm Preußen durch keine noch so schweren Opfer, und wenn es sich Glieder aus seinem eignen Fleische ausschnitte, den Wind abgewinnen wird.

Nicht am wenigsten trieb uns eine weitere Betrachtung, unsere Muße für mehrere Jahre der Erforschung dieser letzten Jahrzehnte des deutschen Reiches zu widmen. Diese waren die Zeit des aufgeklärten Absolutismus. Wir glauben uns nicht zu täuschen, daß die nächsten Jahre vorherrschend dem, wenn auch etwas verhüllten Absolutismus sich beugen werden. Keine Zeit bietet dem absoluten Herrscher und seinen Werkzeugen weder so edle, noch warnendere Beispiele, als die Zeiten Friedrichs und Josephs, und für die kleineren Herrscher in Deutschland die Regierung unseres Franz Ludwig, und etwa seines Bruders, des Kurfürsten zu Mainz. Ueberstürzung in den Reformen ist zwar zum Glück jetzt weniger zu fürchten, vielleicht manchen Orts eher Ueberstürzung in der Wiederaufrichtung der Vorrechte, deren zähe Gewalt selbst dem vom Volke nicht beschränkten Fürsten gegenüber, deren Blüthe und Früchte eben unser Büchlein zu schildern hat.

Dieser aufgeklärte, für das Volk doch auf seine Weise wirkende, ja sich opfernde Absolutismus, indem er auf seine Weise eine gewisse Gleichheit und Gerechtigkeit für alle anstrebte, war es, welcher die Verbreitung des französischen Revolutionsbrandes und Gleichheitstyphus nach Deutschland verhindern half und selbst die Bedrücker des Volkes gegen größere Vergewaltigungen schirmte.

Das, wenn auch nur relative Ungebundenseyn durch fremden Willen und durch starke gesetzliche Schranken der Volksrechte ist allerdings für den so hoch Stehenden selbst von der größten sittlichen Gefahr. Der Trauerredner Franz Ludwigs hat gewiß die Wahrheit gesprochen: „ein solcher Fürst hat keine, oder er hat heroische Tugenden." Die Selbstregierung verlangt, daß

VIII

der Regent zuerst sich selbst straff nach Gewissen und Vernunft regiere. So hat Franz Ludwig die Selbstregierung verstanden und geübt. Deßhalb haben wir seine Persönlichkeit aus den Reihen seiner Zeitgenossen vorgeführt. Wir hoffen nicht, daß uns deßhalb dürften diese Vorwürfe gemacht werden, welche auf den begeisterten, aber etwas indiskreten Leichenredner Franz Ludwigs gehäuft wurden. Franz Ludwig ist ein namhafter Zeuge dafür, daß ein Mann, ein Fürst weder den Extremen der Aufklärungs- und Neuerungssucht, noch der Reaktion und Bigotterie zu dienen braucht, um seinem hohen Beruf, dem Staate, der Kirche, dem Volke sein Leben gewissenhaft zum Opfer zu bringen. Das geschärfte, erleuchtete Gewissen ist — in einem Manne — nicht schwächer als die Parteileidenschaft.

Franz Ludwig hat für unsere Zeit starke Bedeutung auch durch einzelne Züge, namentlich durch seine musterhafte Armen-Ordnung, durch die Pflege und Zucht, worin er die geistig und leiblich Verwahrlosten seiner Lande nahm und hielt. Seine ernste Menschenliebe hielt sich fern von den Irrwegen der Weichlichkeit gegen sich und Andere, welche nur die Rückseite einer furchtsamen Gleichgültigkeit und Herzenshärtigkeit ist. Nachdem wir weite, gefährliche Abweichungen durchirrt haben, werden wir es wohl zu schätzen wissen, unsere theuer erworbenen Ueberzeugungen durch einen solchen Vorgang befestigt und erläutert zu finden. Franz Ludwig war in den Mißjahren von 1786 an Landesvater der Kreuzberggruppe und eines Theils der langen Rhön, welche neuerdings Riehl in ihrem Stein- und Schneereichthum, in ihrer naturwüchsigen, angestammten Armuth so trefflich geschildert hat, dazu eines großen Theils des eben jetzt vom Hunger so schwer geprüften baierischen Oberfrankens am oberen Main.

8

Die geistlichen Regierungen, welche einst einen großen schönen Theil Deutschlands unter ihrem Stabe wohnen sahen, sind zwar zur Antiquität geworden. Aber sie haben allen ihren Unterthanen ihren Stempel tief aufgeprägt, der nach in Jahrzehnten sich nicht verwischen wird. Wir werden andere Seiten derselben, und überhaupt der letzten Jahrzehnte des deutschen Reichs, zum Theil mehr komischer, heiterer Natur, Bilder auch aus dem Leben der Reichsstädte, aus kleinen weltlichen Territorien dieser Zeiten, vielleicht bald in einigen mannigfaltigeren Bändchen zusammenstellen. Es ist allerdings gegen alle Taktik mit den schweren Waffen den Feldzug zu eröffnen, die leichten in der Reserve zu führen. Mancher Leser aber wird sich aus diesem Vorausgeschickten merken, daß es uns auch bei Spiel und lachendem Munde Ernst, ja bitterer Ernst ist, vor Allem Ernst mit der Wahrheit. Gott gebe, daß wir dabei ein Handlanger und Kärrner eines deutschen Montesquieu oder Macaulay werden, wenn er einst die Geschichte des Zerfalls und des Wiederaufbaus des deutschen Reiches schreibt.

Die Zeiten, welche wir hier geschildert haben und schildern werden, sind die unserer Großväter. Diese haben bekanntlich oft mit ihren Enkeln viel Aehnlichkeit; so vielleicht auch der Charakter der Zeiten der Großväter und Enkel. Die Menschheit dreht sich ja in der Spirallinie. Was uns aber vor Allem an jenen Zeiten anzieht, ist der versöhnliche Geist, welcher die confessionellen Verhältnisse umschlang, und das ist auch, was uns am stärksten angetrieben hat, gerade die Person Franz Ludwigs von Erthal zum Gegenstand einer besondern historischen Arbeit zu machen. Schon K. A. Menzel hat es ausgesprochen: „Wenn die deutsche Jugend aus dem ihr ertheilten Geschichts-Unterrichte erführe, daß es Schönborne,'

Bobenburge, Fürstenberge [1]), Erthale, Dalberge gegeben
hat, und wie dieselben auf ihren geistlichen Fürstenstühlen
gewaltet haben, so würde dieß beitragen, der heutigen confessionellen Verbitterung entgegen zu wirken, welche die rechte
Gestaltung der confessionellen Verhältniße, die sich am Ende
doch vollenden muß, vielleicht um ein ganzes Menschenalter
aufgehalten, jedenfalls das lebende Geschlecht in eine bedauer-
liche, dem Zusammenwirken für diesen Zweck unförderliche
Stimmung versetzt hat. "

Um dieses Ziel anzubahnen muß aber gewissenhafte
Wahrhaftigkeit und ehrliche Vaterlandsliebe mit christlichem
Sinn von beiden, von allen Seiten, und nicht blos
in der Geschichtforschung starke Hand anlegen. Der Verfasser Dieses ist Protestant. — Unsere Absicht geht also auf die
praktischen Anliegen der Gegenwart und des Vaterlandes.
Obgleich es jetzt Mode ist, den Propheten Gräber und Denkmale zu bauen, so können wir uns doch das Verdienst nicht
aneignen, als ob auch wir besonders darauf abzweckten, dem
patriotischen frommen Kirchenfürsten, dem Fürsten und Priester nach der Ordnung Melchisedek's, „ein Denkmal zu setzen."
Hat er nicht schon das beste Denkmal in den Herzen aller
rechtschaffnen alten Würzburger und Bamberger? Ihnen soll
auch vor Allen dieß Büchlein gewidmet seyn.

1) Wir setzen voraus, daß damit der Fürstenberg in Mün-
ster, nicht der zu Cöln gemeint sei, welcher Deutschlands Schlüs-
sel an die Politik und die Horden Ludwigs XIV. verrieth, welchen sich auch einige der oben genannten Kirchenfürsten zuneigten.
Denn auch damals nannte sich Frankreich den Schutzvogt der katholischen Kirche, um Deutschland zu entzweien, und die appetit-
lichsten Stücke desselben und den Sparpfennig von Millionen
Familien sich als Lohn beizulegen.

Inhalt.

11

1) Franz Ludwigs Heimath, Familie und Erziehung.

Franz Ludwig von Erthal ist geboren 16 September 1730 zu Lohr im Kur-Mainzischen Antheile an der, im fränkischen Kreise gelegenen, Grafschaft Rieneck.

Als nemlich 1559 mit dem Erbtruchseß Grafen Philipp das alte Haus der Grafen von Rieneck ausstarb, so zogen die benachbarten Mächte Mainz, Kurpfalz, Würzburg, das zwischen Spessartwald und dem rechten Mainufer entlang sich erstreckende, wenige Quabratmeilen betragende Grafschaftsgebiet als heimgefallene Lehen an sich. Mainz verkaufte sofort an die Grafen von Nostiz $3/4$, an die Grafen von Hanau $1/4$ des Städtchens Rieneck. Mainz übertrug an den Grafen von Nostiz-Rieneck auch das Sitz- und Stimmrecht der Grafschaft Rieneck bei den fränkischen Kreistagen und im fränkischen Grafenkollegium auf dem Reichstage. Er hatte auf 2 Quabratmeilen etwa 6000 Unterthanen, und stellte zum Kreis 12 Mann zu Pferd und 29 zu Fuß. Mainz, r.elches sich das Amt Lohr, den südlichen Theil der früheren Grafschaft Rieneck, vorbehalten hatte, zahlte die Reichssteuern dafür und stellte einige Reichssoldaten zur fränkischen Kreistruppe.

Bernhard, Franz Ludwig.　　　　　　　1

Dieß mag uns schon vorläufig einen Blick thun lassen in die Verfassung des heiligen Römischen Reiches deutscher Nation.

Also im Antheil des geistlichen Kurfürsten von Mainz, im Städtchen Lohr, am Main, der es vom Würzburgischen trennt, welches eine Glas- und Spiegelfabrik, auch Schiffbau hatte, war der Vater unseres Franz Ludwig, Philipp Christoph von und zu Erthal, Oberamtmann, ein durchgebildeter, deutscher Staatsmann. Die Mutter, Maria Eva war eine geborne von Bettendorf. Der älteste Sohn Friedrich Karl Joseph war der spätere Kurfürst von Mainz, der zweite, Lothar Franz Michael, der spätere Oestreichische Geheime-Rath und Mainzischer Oberhofmeister, der jüngste, unser Franz Ludwig.

Dieser entgieng der meist schlechten adelichen Instituts-[1]) oder Hofmeister-Erziehung, indem sein Aeltester damals in Rheims seine Würzburgische Domprfründe an den Nächsten in der Reihe, einen Freiherrn von Auffees abtrat, der sie dann auf unsern Franz Ludwig übertrug. Darauf wurde dessen Ahnenwappen Ende December 1739, als er über 9 Jahre alt geworden war, am Eingang der Domkirche zu Würzburg aufgehängt. Diese Sitte bezweckte in alten Zeiten den Einwendungen gegen die Aufnahme eines Jünglings in's Kanonikat Zeit und Gelegenheit zu geben, war aber längst mehr eine Sache des Prunks geworden. Die Ahnenprobe war ohnedieß der Hauptpunkt der Befähi-

---

1) Eines der wenigen guten Institute für junge Adeliche scheint das „adeliche Seminar" in Würzburg gewesen zu seyn.

gung zu diesen reichen Stipendien und Pfründen. Den
1 Februar 1740 wurde er unter die Domicellare,
d. h. unter die jungen Chorherrn aufgenommen, die
erst ihre kirchliche und wissenschaftliche Bildungszeit
zu bestehen hatten. Ohne Verbindlichkeit den gesetzlichen Chorsprechstunden im Dom anzuwohnen, bezogen
sie schon ein bedeutendes Einkommen, das zu ihrer
Ausbildung verwendet werden sollte. Nach der Versicherung eines namhaften, betagten Professors der
katholischen Theologie waren die beiden geistlichen Erthale früh auch mit einer solchen Pfründe in der gefürsteten Abtei Ellwangen bedacht, wo man sie als den
dicken (den Mainzer) und den magern (unsern) Erthal unterschied.

Als Student legte er sich besonders auf das ka-
nonische oder Kirchen-Recht und erwarb sich besonders
in dieser Richtung den Beinamen des „Gelehrten".
Ein berühmter Professor des kanonischen Rechts in
Würzburg, Barthel, sprach sich über ihn als den Wür-
digsten aus, sein Nachfolger zu werden, „wenn er
seines Standes wegen nicht davon abgehalten würde."

Zu dieser letzten Aeußerung hatte er um so mehr
Ursache, als um dieselbe Zeit ein in Mainz studirender
Domicellar (also ein junger Adelicher) Sätze über
geistliches und weltliches Recht, worüber er disputiren
wollte, in der Vakanz einem ihm verwandten Dom-
prälaten vorlegte, was dieser mit Befremden aufnahm
und sagte: „Wie, willst du deiner Familie die Schande
anthun und Doktor werden? Fürsten haben wir wohl
schon in der Familie, aber noch keinen Doktor!"

Während einiger Jahrhunderte sah Würzburg nur

solche Männer auf dem Bischofssitz, welche in Rom gewesen und dann Reisen gemacht hatten. Sich in der Wissenschaft zunächst weiter zu vervollkommnen, reiste auch der junge von Erthal nach Rom und wir haben es ihm zu besonderer Ehre zu rechnen, daß er ein eben so guter Deutscher als Katholike auch in diesem kritischen Punkte blieb.

Um nun auch das Rechtswesen praktisch zu lernen, arbeitete er beim Reichshofrath zu Wien und besuchte einige deutsche Höfe. Der zu Wien galt „für die Schule der Regenten".

Bei alle dem ist nur Eine Stimme darüber, daß er sich von den herrschenden Lastern der Höfe und des Adels daran, welcher beinahe durchgehends französisch war — wenigstens den Grundsätzen nach — ganz rein hielt, ja eine durchaus fleckenlose Jugend führte.

2) Staatsämter.

So vorbereitet, wie selten einer dieser gebornen Kirchenstaats-Prinzen — denn das waren in geistlichen Landen alle Domkapitularen — trat er im 33sten Jahre in das Domkapitel zu Würzburg ein, das mit dem Fürstbischof die kirchliche und bürgerliche Regierung des schönen Landes theilte. Während der größere Theil seiner Amtsbrüder es sich in den reichen, ohne Mühe schon einflußreichen Stellen bequem machte, erschöpfte sich Franz Ludwig, bald darauf zum Regierungspräsidenten ernannt, in Regierungsarbeiten. Er theilte die einkommenden Akten nur nach genauer Einsicht an die Referenten aus, in tausend Verhältnisse einschauend und sie fördernd.

Im Jahre 1768 aber schickte ihn Adam Frid-
rich Graf zu Seinsheim als Gesandten nach
Wien, um in seinem Namen die feierliche Belehnung
über die geistlichen Fürstenthümer Bamberg und
Würzburg knieend zu erlangen [1]). Oestreich, immer
darauf bedacht, einflußreiche Männer in den kleinen
Reichslanden in sein Interesse zu ziehen, ernannte ihn
zum K. K. wirklichen Geheimen-Rath. Es war aber
zugleich Anerkennung seiner persönlichen Eigenschaften,
daß Kaiser Joseph II. ihn zu einem seiner Kommissäre
bei der Untersuchung des Reichskammer-Gerichts zu
Wetzlar ernannte. Dabei sollte sowohl der schleppende
Geschäftsgang durch Reinigung der verrosteten Maschine
befördert, als dem Reichsgericht mehr Gewalt, dem
Reich mehr Einheit gegeben werden, Ursache genug,
für die andern Höfe es zu hintertreiben, besonders für

---

1) Bamberg war ein von Würzburg rechtlich ganz unab-
hängiges, reichsunmittelbares Hochstift, allein es waren zum Theil
dieselben Adelichen oder doch die Söhne derselben fränkischen
Adelsfamilien Dom= und damit Wahlherrn und wählbar in beiden
Domkapiteln. Daher wurden auch öfters dieselben Personen zu
Fürstbischöfen in beiden gränznachbarlichen Hochstiften gewählt.
So schon 1631 Franz von Hatzfeld, der heitere, deutschpatriotische
Peter Philipp war schon einige Jahre Bischof zu Bamberg, als
er 1675 auch in Würzburg gewählt wurde. Nicht wenig mag
zur Verbindung beider Bisthümer beigetragen haben das in
Bamberg von einem Domherrn, Reichsfreiherrn von Aufseß (es
gibt eine katholische und eine evangelische Linie in Franken) mit
einem Fonds von 300,000 fl. für 24 bambergische und 12 würzburgische Seminaristen gestiftete Seminar, welches auch zahlende
Studirende dazu aufnahm. — Der große Feldherr Bernhard von
Weimar hatte gehofft, die beiden Hochstifter als weltliches Herzogthum Franken zu behaupten.

den preußischen, welcher nicht den deutschen Sinn, nicht
den Muth und die Kraft in sich fühlend, selbst der
Halt und Mittelpunkt des Reichs zu werden, sich gegen
die Plane des jungen ruhm- und länderdürftigen Kaisers
Joseph hinter den Mißbräuchen der Reichsverfassung
verschanzte, wobei er gewiß seyn konnte, die meisten
Reichsfürsten zu Bundesgenossen zu haben. An Frän-
kisch-Brandenburg (Ansbach-Bayreuth) war die Rolle
übertragen, unter dem Vorwande, die kaiserliche Kommission trete der Gleichheit beider Confessionen, zunächst
der evangelischen, zu nahe, die ganze Reform glücklich
zu hintertreiben. Daß sich Franz Ludwig trotz dieser
bitteren Erfahrung von confessioneller Verbitterung ganz
rein hielt, ist ein um so edleres Zeugniß für ihn.

Nachdem diese Geschäfte 1775 ihr nicht eben
glänzendes Ende genommen hatten, wurde er auf dem
stehenden Reichstag zu Regensburg auch als östrei-
chischer Kommissär angestellt. Das Domkapitel sich in
seiner Person geschmeichelt fühlend, machte ihm nicht
die Abzüge von seinen Einkünften, welche einem vom
Domsitze Abwesenden sollten gemacht werden.

3) Erwählung zum Fürstbischof.

Wohl aber rief ihn der 18. Februar 1779 erfolgte
Tod des Fürstbischofs Adam Friedrich nach Würzburg.
Einen Monat darauf, 18. März, wurde der 48½ jäh-
rige Franz Ludwig von Erthal einstimmig vom Dom-
kapitel zum Fürstbischof von Würzburg gewählt. Er
führte als solcher den Titel: Des heiligen römischen
Reichs Fürst und Bischof von Würzburg, Herzog zu
Franken, und zählte als der 82ste in der Reihe der

Würzburger Bischöfe. Mag seine Stellung als Regierungs-Präsident zu dieser Einstimmigkeit der Wahl mitgewirkt haben (man wählte in der Regel solche zu Fürsten, welche einen Theil der Fürstengewalt längst handhabten), so that die allgemeine Achtung, ja theilweise Verehrung, worin er zumal beim Volk stand, auch das Ihrige. [1]). Auch Oestreichs bei diesen Wahlen gewichtiger Einfluß hoffte zugleich seinen schon auf dem Mainzer Kurfürstenstuhl sitzenden Bruder und den Fürsten von Würzburg vollends durch Begünstigung seiner Wahl dem Kaiserhause zu gewinnen.

Was bei Vielen nur Komödie und Heuchelei, war bei ihm Wahrheit; das Bewußtsein der schweren Pflichten und Verantwortung eines Bischofs und Fürsten brach sich nicht nur in Worten Bahn, es kostete ihn die Uebernahme einen, wenn auch kurzen, doch harten Kampf. In dem Munde Vieler nur eine abgedroschene Redensart, war es volle, frische Wahrheit, wenn er, der Zeitgenosse des großen Friedrich und

---

1) Der etwas frivole Verfasser der „Briefe eines reisenden Franzosen über Deutschland" (zweite Ausgabe 1784), Riesbek, schreibt: „Der jetzige Fürst ist ein sehr aufgeklärter, mit Staatsgeschäften und der Welt überhaupt sehr bekannter Mann. Er ist einer von den wenigen Bischöfen Deutschlands, die ihre Würde und ihr Glück blos ihren Verdiensten zu verdanken haben. Er ist aus einer alten, aber nicht sehr reichen Familie. Seine Kenntnisse und Thätigkeit empfahlen ihn dem kaiserlichen Hof; er zeichnete sich als kais. Kommissär am Reichstage so aus, daß ihn der kais. Hof bei Erledigung des hiesigen bischöflichen Stuhls in Vorschlag brachte". — Dieß ist an sich sehr wahrscheinlich. — Riesbek setzt hinzu: „Aus Schwäche des Alters (er war damals 54 Jahre) ist er nun außerordentlich andächtig geworden.

Joseph, nach Jahren voller väterlicher rastloser Sorge zu seinen dankenden Unterthanen sagte: Ich habe nur meine Pflicht erfüllt. Ich weiß nur zu wohl, daß ich der erste Bürger und Diener des Staats bin. Nicht nur mit seiner Handschrift stand es in seinen Regierungs-Grundsätzen: Das Land ist nicht für den Fürsten, sondern der Fürst für das Land. — Die Hauptsache ist, daß er nach diesen Grundsätzen lebte, sich keine, auch scheinbar kleine Uebertretung derselben sich zuließ. Er wandte zuerst auf sich selbst die Regel an, es sei zuträglicher nichts zu befehlen, als das Befohlene nicht kräftig zu handhaben.

Den 12. April wurde er auch in dem angränzenden Fürstbisthum Bamberg zum Nachfolger Friedrich Adams gewählt.

Franz Ludwig war bei seiner Erwählung erst Diakon, also noch auf einer Vorstufe des Priesterthums. Er bereitete sich durch achttägige geistliche Uebungen in den stillen Wänden seines Zimmers zur Priesterweihe vor, und erhielt 19. September 1779 zu Bamberg durch seinen Bruder, den Erzbischof von Mainz, die Weihe als Bischof.

4) Das Würzburger Land.

Dieser Kirchenstaat, welcher durch den Bauernkrieg stark mitgenommen worden war, stellte sich dar als eine erneute Schöpfung des Fürstbischofs Julius (von 1573—1617), welche gewaltige Persönlichkeit als eines der stärksten Räder an der Restauration der katholischen Kirche in Deutschland seinem Volke seinen Charakterstempel aufdrückte. Die in manchen Landestheilen,

(z. B. in Karlsstadt am Main, dem Vaterlande des davon genannten früheren Gehilfen Luthers Bodenstein, spätern „Schwarmgeistes",) überwiegenden Evangelischen hatten auswandern oder in den Schooß der katholischen Kirche zurückkehren müssen. Von seiner Zeit an hatte das Land wieder äußere und innere Einheit. Er war ein Mann von kräftiger Ueberzeugung, großer politischer Klugheit und fürstlicher Persönlichkeit, und wenn er sich vor gewaltsamen Mitteln auch in Sachen des Gewissens nicht scheute, so war er doch Keiner von Denen, welche Ueberzeugungen verfolgen, ohne selbst eine zu haben, nur um Amt und Macht, oder doch den Schein davon etwas länger zu behalten. Franz Ludwig durfte sich rühmen mütterlicher Seits von einem Bruder dieses gewaltigen Fürstbischofs, seines Vorgängers in Würzburg, abzustammen. Besonders bei seinen großen Leistungen für die von Julius gestiftete Universität und den Juliusspital erwies es sich, daß er sich dessen wohl bewußt war, ob er gleich der Sohn eines humaneren Zeitalters war. Oft wird Julius sein Oheim genannt.

Ueber die Bevölkerung des Fürstbisthums Würzburg sagt Meiners [1], daß sie auf 95 bis 100 Quadratmeilen 260,000 bis 262,000 Menschen betrage, indem sie unter Franz Ludwig um ein Viertel, oder

---

1) Kleinere Länder und Reisebeschreibungen von Meiners (Professor in Göttingen). Berlin 1794. Zweiter Band. Er war 1792 zum viertenmal in Würzburg, wo er unter den höheren Beamten viele Bekannte hatte. Das Nähere über die Größe des unmittelbaren und mittelbaren Gebiets, über die Zahl der unmittelbaren und mittelbaren Unterthanen unten.

wenigstens um ein Fünftel zugenommen habe. Er
täuscht sich aber sehr, wenn er dieser richtigen Angabe
beifügt: „Wenn man die Besitzungen und Unterthanen
der Klöster und Stifter, die in dem Gebiete des Bisthums liegen, mitrechnen wolle, so könne man, sagte
mir Einer der größten Kenner des Landes, die ganze
Volksmenge (1792) auf 500,000 Menschen anschlagen.“
Da starke Bevölkerung damals als das Siegel der
Regentenweisheit galt, überschätzte man gerne ihre
Zahl, unterschätzte die Zahl der Quadratmeilen gerne.
Das Gebiet lag großentheils nördlich von der Hauptstadt, es lehnte sich an den Kreuzberg und die Röhn, mit
den Städten Flabungen, Wellrichstadt, der kleinen Festung
Königshofen im Grabfelde, an die Grafschaft Henne-
berg (Meiningen) und an Coburg in Thüringen
stoßend, südlich an die Fürstenthümer Ansbach und
Hohenlohe und den Deutschorden zu Mergentheim,
westlich an die Grafschaft Wertheim, an Rieneck, das
Erzstift Mainz und an das Hochstift Fulda, gegen
Osten an Bamberg gränzend, um anderer kleiner Nachbarn nicht zu erwähnen. Die evangelische Reichsstadt
Schweinfurth lag beinahe in der Mitte. Fulda und
Schweinfurth waren die minder befreundeten Nachbarn,
zumal seit dieses sich der protestantischen Union, Bischof Julius sich Baiern und der katholischen Liga
angeschlossen hatten.

Die Reichsstadt hatte den aus dem Würzburgischen
vertriebenen Protestanten ein Asyl eröffnet, einen von
ihnen zum Bürgermeister gemacht.

Für die Charakteristik der Zeiten ist bezeichnend,
daß die Konfession im vorigen Jahrhundert weniger

Reibungen veranlaßte. Als aber 1753 einem Würzburgischen Jäger ein auf Schweinfurther Gebiet ge-
geschossener Hase abgenommen worden war, wurde
vom Fürstbischof aller Handel mit Lebensmitteln nach
der Reichsstadt gesperrt; denn man war jetzt auf das
Jagdrevier so erpicht, als auf die Territorialreligion,
und auf einen Hasen, wie auf eine Seele. Die hun-
gernde Stadt mußte auf dem Thatplatze dem Jäger
einen andern Hasen einhändigen, womit die gute deutsche
Nachbarschaft wieder besiegelt war.

Julius hatte mit Hilfe der zuchtscheuen Kapitularen, des Adels und eines Tumults die Abtei Fulda
nebst Land und Leuten mit seinem Bisthum 1576
vereinigt; der Kaiser erklärte aber nach gerichtlicher
Untersuchung, daß er damit Unrecht gethan habe, es
sei ungiltig. Von da an gab es immer geistliche und
weltliche Gränzstreitigkeiten zu schlichten. Endlich wurde
1751 es dahin ausgeglichen, daß Fulda alle bischöflichen Rechte, Würzburg das erzbischöfliche Vorrecht
erhielt, sich das Kreuz vortragen zu lassen und das
Pallium zu tragen. — Vor 1100 schon waren dem
Bischof von Würzburg Hoheitsrechte über das (auch
im Fränkischen Kreise gelegene) Fürstenthum Meiningen gegeben worden, welche auch noch in den letzten
Jahrhunderten durch Huldigung anerkannt worden
waren.

Mit Bamberg vereint war das gedoppelte Fürstbisthum wohlarrondirt und so an Ausdehnung jedem
der geistlichen Kurfürstenthümer und Erzbisthümer im
Reiche gewachsen. Zumal die Vertretung des Fränkischen Kreises beim Reiche und die inneren Kreisan-

gelegenheiten waren in der Hand des Fürstbischofs beider Länder.

Die Residenzstadt Würzburg war zugleich ohne Vergleich die wichtigste und volkreichste des ganzen Gebiets [1]. An dem östlichen, rechten Ufer des hier nördlich fließenden Main gelegen, der Bergfeste Marienberg gegenüber, ist es rings von Weinbergen umgeben, womit damals auch die Fläche des Thals bis an die Thore beinahe ganz erfüllt war. „Er hat mir nicht einmal ein Glas Wein gegeben", hieß früher auch im Munde des Taglöhners so viel als: „er hat mich in seinem Hause unhöflich behandelt". Jedermann legte Wein ein und immer stand ein Krügchen im Wandschrank. Das Biertrinken, weil außer Haus, hat das Familienleben gelockert, selbst in diesem Weinlande. Allein die „Häcker" (Weingärtner) machten dem guten Fürsten durch die vier Mißjahre, in Wein und Frucht von 1788 an, viele Sorgen, schon brannte die Frage, wie der Weinstock in schlechten Lagen zu ersetzen sei. Die nördlich der Stadt am Steinberg gelegenen Harfe und Schalksberg geben den berühmten Wein. Der Leisten aber, — wie Simson sagte: Süßigkeit geht von dem Starken — wächst an der

---

1) Die Bevölkerung der Residenzstadt wird nach der Zählung von 1798 auf mehr als 21,000 angegeben, während die Tabelle nur 15,538 specificirt, darunter Bedienstete hohe 182, niedrige 450, Handlungstreibende 262, Handwerksleute 860, dazu fremde Handwerksgesellen 653, Knechte 505, Mägde 1540; überhaupt fällt die unverhältnißmäßig starke Zahl der Ledigen beim andern Geschlecht auf; „dem Institut" einverleibte Arme 671.

zum Theil zur Bergfeste angelegten Südseite des Ma-
rienbergs. ¹) Die besten Weinberge gehörten dem
Fürstbischof, und jetzt dessen „seligen Erben" der Krone
Baiern.

Die Fürstbischöfe waren früher schon mit Planen
zu Bergwerken nach edlen Metallen angegangen worden. Auch einer der hohen Gäste von der Kaiserkrönung soll geäußert haben, es sei ein überaus schönes
Land, aber Gold- und Silberbergwerke fehlen doch.
Franz Ludwig habe darauf das Fenster geöffnet, und
auf die Welt von Weingärten und auf seine Berg-
knappen davon (die Häcker) verwiesen. Und wirklich
sind die besten Würzburger Weine jung silberweiß,
und werden mit dem Alter goldgelb. ²) Einigemal bei
Besuchen des neugekrönten Kaisers lief ein Brunnen-
rohr mit weißem, ein anderes mit rothem Wein.

1) Topographisch und historisch in Kürze das Beste hierüber
siehe in: Der Hofkeller zu Würzburg, bildlich dargestellt mit Text,
von M. Oppmann, K. Kellermeister 1849 — oder auch die
Quellen im Hofkeller selbst.

2) Die Nächstenliebe verpflichtet uns auf noch eine treffliche
Eigenschaft der alten Würzburger Weine aufmerksam zu machen;
sie schützen vor den ansteckenden Krankheiten. Trotz aller Ver-
kehrsverbote war 1681 aus Böhmen eine verheerende Pest ein-
gedrungen. Aber es starben im Würzburgischen nur Wenige.
Außer öffentlichen Bittgängen war besonders alter Frankenwein
empfohlen worden; „und man war allgemein der Meinung, daß
der empfohlene mäßige Gebrauch guten alten Frankenweines das
beste Mittel dagegen gewesen sei und die weitere Fortpflanzung
der Krankheit gehemmt habe". Um jene Zeiten des gastfreien
Fürstbischofs, den das Volk nur den Peter Lustig nannte, geschah
dem edlen Gewächse noch seine gebührende Ehre — bis er an
Steinbeschwerden starb.

Diese flüssigen edeln Metalle der fürstbischöflichen Berge wurden und werden in einer ganzen Kellerwelt aufbewahrt [1]) unter dem in schönem französischen Styl erbauten Residenzschloß — nicht nur dem schönsten Pfarrhofe, sondern einem der schönsten Schlösser Deutschlands.

Während der ersten Hälfte des 13ten Jahrhunderts hatten sich die Bürger gegen den Druck der Geistlichkeit zu blutiger Rache erhoben, weßhalb der Bischof seine Residenz aus der Stadt auf die Burg, · den Marienberg, verlegte. Obgleich die Bürger vom Kaiser und verbündeten Städten unterstützt wurden, schlugen die vom Adel unterstützten Bischöfe die Bürger nicht blos mit Bann. Der feste Marienberg, an welchem die Wogen des Bauernkriegs sich gebrochen und den die Schweden mehr durch Ueberfall genommen hatten, war bald nach dem 30jährigen Kriege nach dem Geschmack der Zeit und durch die Kanzlei-Regierung längst eine unpassende Residenz geworden. Ganz nach dem französisch-deutschen Zeitgeist war das Residenzschloß am Rennweg mit Seitenflügeln gebaut, denn es mußte, ohne bewohnt worden zu seyn, wegen Baufälligkeit wieder abgebrochen werden. Das jetzt noch so stattliche Residenzschloß auf demselben Platz wurde von 1720 bis 1744 gebaut, derselbe Baumeister, welcher den Plan gemacht hatte, Balthasar Neumann aus Eger, legte auch den Schlußstein. ·

---

1) Von diesen edeln Weinen ist auch für die leidende Menschheit im Juliusspital ein Lager, wo auch Kranke in der Stadt ihn um ein Billiges erhalten.

Die Stadt, welche als sogenannte Festung nicht erweitert werden darf, mochte damals denselben Umfang haben. Den Reisenden fiel es schwer, sich darin zurecht zu finden, wegen der vielen, etwa 18—20 Fuß hohen einförmigen Mauern an den Straßen hin. Diese schloßen die Klöster und die weitläufigen Wohnungen der Domherrn und anderer reichen, meist geistlichen Pfründner ab, welche im geräumigen Hof und Garten gelegen, gegen die Welt hin klösterlich, innen einem unbewachten, bequemen Genuß allen Raum und Ruhe gewährten. Der Würzburger Adel hat zum Theil noch ähnliche, dem neidischen Auge sich abschließende Sitze. Dasselbe fand sich, besonders in der Nähe des Doms, in allen alten Residenzen reicher Domkapitel wieder. Außer dem Domkapitel und der Universitäts-Korporation waren in Würzburg die Kanoniker der beiden Kollegiatstifter, Kapuziner, die unbeschuhten und andere Karmeliten, Franziskaner, Augustiner, Dominikaner, Benediktiner von St. Jakob und von St. Stephan, das adeliche Fräuleinstift zur Hl. Anna in der goldnen Pforte.

Unserm Franz Ludwig verdankte die Stadt besonders Reinlichkeit und die herrliche Beleuchtung, [1]) welche

---

1) Wir verweisen in Betreff aller Punkte, welche mehr nur lokales Interesse haben, ein- für allemal auf die „Geschichte, Leben und Thaten der Bischöfe zu Würzburg und Herzoge zu Franken. Der erste starke Band ist 1848 bei B. Bauer in Würzburg gedruckt, verfaßt von L. Fries; der zweite im folgenden Jahr, auch mit vielen Holzschnitten, erschienene ist nach Gropp und andern Quellen geschrieben. Diesem mit Gründlichkeit, zugleich mit Wahrhaftigkeit und mit Diskretion geschriebenen Werke ent-

er bei Gelegenheit des kaiserlichen Besuchs als bleibende Zierde und Schuß für die guten Sitten einführte. Durch Bepflanzung wüster Bergabhänge mit Hartriegel und mit Sonnenblumen hoffte man das Oel zu gewinnen.

Unter den Einwohnern bemerkte Risbek eine Munterkeit, einen Hang zum sinnlichen Vergnügen, und besonders unter den beiden Geschlechtern eine gegenseitige Geselligkeit, die man in keiner protestantischen Stadt Deutschlands von gleicher Größe finde und welche dem Reiz und Reichthum der Landschaft entsprechen. Die Aufklärung der Geistlichen fiel ihm, besonders im Vergleich mit den bairischen und den östreichischen sehr auf, wie auch der angenehme gebildete Ton in den Gesellschaften. Er fand das Volk in den Hochstiftern verschwenderisch, aber nicht industriös, besonders im Vergleich mit dem rauheren Fuldaischen.

Zu bezweifeln ist, ob dabei eine von den Bettelmönchen gelehrte Verachtung des Eigenthums mitwirkte.

Würzburg ist noch zur Stunde, wenn nicht eine der reichsten, so doch eine der wohlhabendsten Städte Deutschlands.

5) Das Bamberger Land.

Auch das Hochstift, das reichsunmittelbare Fürstbisthum Bamberg dehnte sich besonders nördlich

nehmen wir dankbar viele Thatsachen und empfehlen es zu eigener Lektüre. Die handschriftliche Wagner'sche Selbstbiographie ist unsere stärkste gemeinschaftliche Quelle.

von der Hauptstadt in die Länge; Kronach an der
Rotach und Forchheim unweit der Rednitz waren seine
befestigten nördlichen und südlichen Gränzhüter. Es
war ziemlich arrondirt und zählte 65 Quadratmeilen,
deren Bewohner gegen das Ende der Regierung Franz
Ludwigs zu 165,000 bis 190,000 Einwohner in 19
Städten, 19 Marktflecken und 1200 Dörfern und
Weilern geschätzt wurden. Bei der Mediatisirung
1802 zählte man 207,000 Seelen.

Außer Kornfrüchten, Hopfen, Holz selbst zu Hol-
länder Schiffbau, starker Viehzucht, Garten- und Obst-
bau [1]) auch Wolle und Bergbau, kamen damals, besonders in geistlichen Landen, auch Fische und Bienen
mehr in Betracht. Es giengen allerdings viele Roh-
produkte, besonders Wolle, außer Lands und kamen
verarbeitet zurück. Die Nachbarschaft von Nürnberg
und Fürth hatte in Forchheim am meisten Gewerbe
und Fabriken veranlaßt. Obgleich der Bauer in dem
gesegneten Lande oft sehr verschuldet und bei dem

---

1) Um diese Zeit ergaben sich bei einer Zählung 21,000
Milchkühe im Hochstift. Im Jahr 1789 wurden allein in Bamberg consumirt oder doch geschlachtet 2241 Ochsen, 335 Kühe,
9228 Kälber, 2117 Schweine, 809 Hämmel, 238 Lämmer, 281
Ziegen. Trotz aller Fastenzeiten bekamen die Bewohner also
doch ihre hinreichende Fleischnahrung. — Das kleine Hallstadt
verkaufte jährlich für 30,000 fl. (?) weißen Kohl; in Einem
Jahre sandte Bamberg über 52,000 junge Bäume den Main
hinunter. Das Kloster Banz mochte in Einem Jahre über 6000 fl.
für gedörrte Pflaumen lösen. Das Dorf Sand nährte seine 300
Familien ohne Markung vom Korbflechten; die feineren Körbe
sollen bis Rußland gegangen seyn; im Amte Nordhalben wurden
hübsche Holzwaren und Mobilien gefertigt.

Bernhard, Franz Ludwig.   2

Gutsherrn viel Lurus seyn mochte, so machten die
trefflich erhaltenen Chausseen, und die Ortschaften
doch auch auf Nicolai den Eindruck eines geordneten
Haushalts und der Wohlhabenheit. In Bamberg
selbst gab bald darauf, besonders die Bißwanger'sche
Kattunfabrik, viele Arbeit, veranlaßte auch zum Bau
von Farbkräutern. — Nicht nur Gemälde, auch Maler
und Bildhauer waren ein Ausfuhrartikel an fremde
Höfe. In der Hauptstadt, versichert Nicolai, habe er
1781 wohl Reliquien, aber keine Spuren von Industrie gefunden; ihre Seltenheit in geistlichen Landen
komme von dem meist guten Boden her. Gewisse Reisende der Aufklärung wollten das Gute in geistlichen
Landen nicht sehen.

Die Hauptstadt Bamberg liegt am Fuß des alten
Schloßbergs an beiden Seiten der Rednitz, die sich
sogleich unter der Stadt in den Main ergießt. Dieß
giebt der Lage der Stadt eine große Mannigfaltigkeit,
welche besonders von der alten Feste und vom ein-
stigen Benediktiner-Kloster-, jetzt Hospital-Garten des
Michelsbergs aus sich in ihrer reichen Schönheit dar-
stellt. Der alte berühmte Dom, die durch Fürstbischof
Franz Lothar von Schönborn zu Anfang des 18ten
Jahrhunderts neugebaute fürstbischöfliche Residenz sind
prächtig.

Man zählte damals 50 Schiffe, einige mit 800
Centnern Tragfähigkeit, welche bis Frankfurt fuhren.

Die Stadt, wie man sagt, von Karl dem Großen
mit Sachsen bevölkert, Schooßkind Kaiser Heinrichs II.,
war bis gegen Ende des Mittelalters freie Reichsstadt
und hatte ihre Thorschlüssel in eigenem Verwahr ge-

führt. Aber Bischof Anton von Rotenhahn, aus der
Stadt vertrieben, that sie 1436 in den Bann, eroberte
sie, behandelte die Bürger standrechtlichtlich und nahm
ihnen ihre meisten Freiheiten. Noch 1435 hatte Kaiser
Sigismund den Magistrat „Unsere und des Reichs
liebe Getreue" genannt. Der Magistrat hatte zu Franz
Ludwigs Zeit wenige Rechte noch erhalten. Doch
durfte er zu einer Rathsstelle drei dem Bischof vor-
schlagen; das Kapitel aber hatte im Ganzen zwei
Rathsstellen zu besetzen. Der Rath entschied in geringeren Klagsachen der Stadtbürger, besorgte die
Obervormundschaften und ertheilte das Bürgerrecht;
auch durfte er wenigstens die bischöflichen Befehle und
Urtheilssprüche, selbst die Todesurtheile noch vollstrecken.
Aber außer diesen unmittelbaren fürstlichen Gerichten
kamen noch mittelbare; beide theilten sich in ordent-
liche und privilegirte, denn das Hohe Domkapitel, das
Kloster Michelsberg, die Universität, das Obersthof-
marschallamt, Oberstallmeisteramt, Oberjägeramt hatten
besondere ihrer Gerichtsbarkeit unterworfene Bezirke
und Personen. Die Neustadt jedoch war ausschließlich
unter geistlicher Gerichtsbarkeit. Der Bamberger aber
behielt viel von der alten Unabhängigkeit des Charakters, wozu der rastlose Fleiß Vieles beitrug, — ein
seltener Fall am Sitze von reichen geistlichen Fürsten
und Domkapiteln! hier noch seltener als selbst in kleinen
Universitätsstädten. Die nutzbare Gärtnerei hatte in
Bamberg einen Hauptsitz, Süßholz, eine sehr mühsame
Kultur, wurde langher besonders hier gebaut und nach
Oestreich, die übrigen Produkte in das kältere Thüringen, aber auch den Main hinunter, manche bis Hol-

land abgeſetzt; Norddeutſchland erhielt viel gedörrtes Obſt. Damals zählte es 386 Gärtnermeiſter mit Geſellen, Lehrlingen und Taglöhnern, die ganze Stadt in 3600 Häuſern (mit nur 2156 Brandſtellen) über 20,000 Einwohner [1]), die Geiſtlichkeit auch in den vielen Klöſtern, Beamte, Militär und Univerſität mitgerechnet. Durch die Fürſtbiſchöfe Schönborn, deren einer auch Churfürſt zu Mainz war, im Anfang des Jahrhunderts und durch den Reichsvicekanzler war in das Bauweſen ein ſchöner Styl gekommen.

Indeß hatte die Stadt einige 1000 Arme, eine nothwendige Zugabe eines geiſtlich-fürſtlichen Hofſtaats. Mit ihnen ſtellte dieſer ſich meiſt beſſer, als mit einem fleißigen, unabhängigen Bürgerſtande.

Wir ſelbſt fanden bei den Bambergern neben der rühmlichſten Emſichkeit eine Höflichkeit, welche ſich ſonſt bei den niedern Volksklaſſen meiſt nur im Gefolge der Schlenderei findet. Hier wird man, ſelbſt ohne gefragt zu haben, ſobald man ſich nur einen Augenblick nach dem Wege umſieht, zurechtgewieſen. Ob dieß mehr aus den fürſtbiſchöflichen Zeiten oder vom Beiſpiel der bairiſchen Beamten herkommt, wage ich nicht zu entſcheiden.

Die Bamberger freuten ſich unter Franz Ludwig ihres Lebens auf ihre Weiſe. Sechzig Brauer brauten im Durchſchnitt jährlich jeder 70mal je 36 Eimer, was jährlich über 150,000 Eimer Bier macht, deſſen

---

[1]) Gegen Ende des Jahrhunderts war nach 12jähriger Berechnung die Mittelzahl der jährlichen Ehen 111, der Geburten 466, der Sterbfälle 523; auf 166 Lebende alſo jährlich 1 Ehe, auf 36 Lebende 1 Geburt, auf 32 Lebende 1 Todter.

Ruhm durch die Felsenkeller erhöht wurde [1]). Lärmende, zumal nächtliche (nach 9 Uhr) Gelage waren besonders unter Franz Ludwig verboten, deßgleichen Tänze in der Stadt; wie denn der fußreisende Beobachter von Heß [2]) fand, daß die höheren Stände den Kopf nach dem Beispiel des Fürsten etwas hängen, die Damen die Augen madonnenmäßig aufschlagen, derselbe zumal von den lebensrüstigen Bamberger Bürgern mehr verehrt als geliebt werde. Nikolai, die große Lichtpuhe der Aufklärung, kam im Herbst 1781, also im dritten Jahre von Franz Ludwigs Regierung, nach Bamberg. Er sagt: „Die Bamberger, welchen die prächtige Hofhaltung des Fürsten Adam Friedrich, die Komödien, die Hoffeste seiner Zeit noch im frischen Andenken schweben, sind mit der Traurigkeit und Einförmigkeit, welche am Hofe des jetzigen Fürsten herrscht, freilich nicht recht zufrieden. Indessen lieben sie ihn doch." Ein verständiger Mann sagte zu ihm: „Er ist nur gegen sich selbst strenge, aber nachsichtig gegen Andere."

Für diese Einschränkung in der Stadt hielt man sich auf dem Lande schadlos. Unser Fußreisender er-

---

1) Als der verschwenderische Bischof Lambert 1373 bis 1398 eine Getränkesteuer einführte, gab es starke Gährung — in den Köpfen. Allein der verhaßte Bierpfenning, Lambertiner genannt, blieb.

2) Diese bambergischen charakteristischen Einzelheiten entnehmen wir großentheils dem dritten Bande der Durchflüge durch Deutschland, die Niederlande und Frankreich, Hamburg 1795. Der Verfasser J. L. v. Heß war im zehnten Regierungsjahre Franz Ludwigs 1789 in Bamberg.

zählt: „Eine halbe Stunde von Bamberg in einem
Dorfe Lug ob Bamberg, wohin man auch auf der
Rednitz die Partie macht, wird alle Nachmittag getanzt.
Dieß wird hier mit völliger Gleichheit getrieben. Hof-
Kavaliere und Handwerker, gnädige Fräuleins und
Kammerzofen, Alles hüpft ohne Ceremoniel durchein-
ander. Die einzige Absonderung, die ich wahrnahm,
bestand in einer kleinen Verschiedenheit der Erfrischungs-
arten. Bier und Wein, mit Salz und Brod dazu,
ist das gewöhnliche Labsal der Tanzenden wie der
Zuschauer. Die mehrsten Vornehmen hatten sich von
ihren Bedienten ein feines Brod nachtragen lassen."

Außer den häßlichen „Kotzen" mit weiten Aermeln
fiel ihm der unentbehrliche Luxus der rothen Schuhe
auf, ohne welche und den aufgeschlagenen Chignon
keine die Gasse kehre. Rothe, um den Zopf geschlagene
Tücher, welche über die Schultern fallen, findet man
noch bei den meisten Landweibern.

Der Garten, nebst dem fürstbischöflichen Schloße
bei Seehof, auch Marquartsburg genannt, zu Anfang
des Jahrhunderts sehr weitläufig in Französischem
Geschmack angelegt, war damals berühmt. Der vorige
Bischof hatte durch den Bildhauer Diez an tausend
Statuen fertigen und zum Theil hier aufstellen lassen;
378 dieser mythologischen Figuren ließ unser Franz
Ludwig in einen Schuppen stellen, damit, wenn einer
seiner Nachfolger Geschmack daran habe, er sie wieder
hervorstellen könne. Eine zarte Rücksicht, die man
selbst bei weltlichen Fürsten für ihre verstorbenen Väter
und nachfolgenden Söhne selten findet. — Er duldete
es, daß der hiesige geschmackvolle Garten-Inspektor

Jakob eine kleine Anlage in englischem Geschmack
darin anlegte.

Eines der Wunder Frankens war damals, noch
unter Franz Ludwig, das prachtvolle, königliche Schloß,
welches der geistliche Kurfürst von Mainz und Bischof von Bamberg Franz Lothar Graf von Schönborn von 1711 bis 1719 in seinem Familiensitze
Weißenstein, bei dem (meist lutherischen) Dorfe Pommersfelden [1]), zwei Meilen von Bamberg, durch den
Jesuiten Loison hatte aufführen lassen. (Die wenigstens
sehr zahlreiche und theure Gemälde-Galerie jedoch war
damals schon zum Theil nach einem andern Schönborn'schen Schlosse Gaybach zwischen Schweinfurt und
Volkach, auch im fränkischen Kreise, im ritterschaftlichen
Kanton Steigerwald, versetzt.) Eine Meile davon hörte
mit dem geistlichen Gebiet der fette Boden auf und
folgte der Brandenburg-Ansbachische Sandboden mit
Nadelholz.

Die vom Vorgänger und von Franz Ludwig angelegten Landstraßen hatten ihre Tadler wie ihre Lober.
Ein Frachtfuhrmann schalt bei einem unserer Reisenden
darüber, daß es nun mehr keine Kunst mehr sei Frachten
zu führen; wer ein Paar Pferde oder Stiere habe,
könne mit dem gelernten Frachtfuhrmann concurriren.
Die seit dem siebenjährigen Kriege angelegten Straßen
waren die Vorläufer der Konkurrenz, der Industrie,
der Gewerbefreiheit, auf eine Art auch der Mediatisirung der Kleinen; sie brachen nicht nur die Scheide-

---

1) Wohl der trefflichste Fürstbischof von Bamberg war Veit
Truchseß von Pommersfelden zu Anfang des 16ten Jahrhunderts
gewesen.

wände nieder, sie ließen die einzelnen Reichslande viel
kleiner erscheinen; sie waren für jene alte Zeit eine
Revolution, wie jetzt die Eisenbahnen.

6) Die fürstliche Gewalt und die Privilegirten.

Die fürstliche Macht hatte in den geistlichen
Staaten seit dem 30jährigen Krieg, in Würzburg schon
seit Fürstbischof Julius, sich sehr gestärkt; das Bedürfniß der Beschränkung der fürstlichen Macht war
zum Theil durch die Reformation gehoben worden,
denn in dem ihr vorhergehenden Jahrhundert hatten
die meisten Bischöfe ein sehr ausschweifendes Leben
geführt und in Würzburg hatte zuvor das Kapitel
alle Ursache gehabt, sie durch Wahlkapitulationen zu
binden, um das maßlose Schuldenmachen der Bischöfe
zu hemmen. Das Beispiel der Fürstenherrlichkeit Ludwigs XIV. wurde auch von den geistlichen Fürsten
Deutschlands gerne befolgt, wie ja überhaupt die
höheren Stände in Deutschland zuerst die Affen der
Franzosen waren. Indeß waren diese Staaten noch
lange nicht auf den Fuß der Souveränität nach innen
eingerichtet, wie man sie seit Friedrich dem Großen,
Joseph II. und Napoleon versteht.

Die Bevölkerungsliste für das Hochstift Würzburg
auf das Jahr 1798 weist neben 223,951 unmittelbaren Unterthanen des Fürstbischofs noch
41,425 mittelbare nach. Diese vertheilten sich auf
24 Herren, größtentheils Abteien, Probsteien [1]), Stifter,

---

1) Den Vorsteher bedeutender Klöster von einem Grundbesitz
zulassenden Orden hieß man Abt. Er war infulirter Prälat,
d. h. trug das bischöfliche Pallium, übte in seinem Kloster

Karthausen. Die stärksten darunter waren: ein Hohes Domkapitel zu Würzburg mit 11,738 Unterthanen und 2 Städten, 18 Dörfern, das Stift St. Haug daselbst mit 3,426 Unterthanen in 10 Dörfern; die Julier- (Würzburger-) Universität besaß 2,189 Unterthanen in 7 Dörfern, der Julier-Spital 2,587 Unterthanen in 13 Dörfern. Die Abtei Ebrach zählte 7,211 Unterthanen in 60 Dörfern. Die wenigsten Unterthanen, 147 in 2 Dörfern, hatte die Karthause Ilmbach, während die Abtei Bronnbach bei Werthheim dieser halben Souveränität sehr bestrittner Maßen genoß. Dieses Cisterzienser-Mannskloster mit 45 Conventualen (Mönche, die im Kloster-Convent Sitz und Stimme haben) war dabei nicht nur an Teufelsspuck-Glauben, sondern auch an Wein und Bier reich, es besaß schöne Felder und Oekonomie, dazu 10 Dörfer. Seiner Besitzungen und angesprochenen Landeshoheit wegen hatte es mit seinen Nachbarn ewige Prozesse, namentlich seit der Reformation mit den Grafen von Werthheim. Daher hatte es auch eine Kanzlei mit 4 Personen.

Die höhere Justiz, besonders das Blutgericht, war von der Verwaltung so sehr getrennt, daß nicht nur für jene, für die „Centgerichte" ganz eigne, andere Kreise bestanden, als die für Verwaltung, die „Aemter"; sondern der Fürstbischof hatte auch über viele außerhalb seines Gebiets (die „fremdvogteilich" waren) das

---

bischöfliche Rechte. Die ihm unterstellten Filialklöster hieß man Probsteien oder Probsthöfe. Den Namen Probstei führten aber auch sehr hohe, reichsunmittelbare geistliche Regierungen, wie Ellwangen, welche ursprünglich Klöstern oder Domkapiteln gehört hatten, nachdem das geistliche Zusammenleben dieser aufhörte.

Centrecht, das er aber meist benachbarten Grafen zu
Lehen gegeben hatte. Deren Centgrafen (Blutrichter)
mußten nach Würzburg kommen, um hier den Blut-
bann zu empfangen.

Das Landstädtchen Ostheim vor der Rhön, in
der fränkischen Grafschaft Henneberg, war nach dem
Aussterben dieses Grafenhauses an das Sächsische
Herzoghaus Eisenach gefallen. Der Stadtmagistrat
übte eine beschränkte mit dem herzoglichen Amte, welches
auch die höhere Instanz bildete, konkurente Civil-Gerichtsbarkeit über die Gemeindeglieder aus. Das her-
zogliche Amt verfuhr dabei trotz des für das gemeine
Recht sprechenden Gerichtsgebrauchs in der Form des
Sächsischen Prozesses. Würzburg aber übte in dem
Städtchen die vier hohen Rügen des Mords, Brands,
der Oberhurerei und des Diebstahls, wenn sich solcher
auf 5 Gulden beläuft. Allen dreien aber verweigerten
die Gerichtsbarkeit die Besitzer von gewissen Gebäuden
innerhalb der Stadt mit beträchtlichen Bezirken und von
großen Rittergütern; noch durch den Vertrag von 1797
wurde die Gerichtsbarkeit dieser Ganerben, als Reichs-
freier, über Dienstboten, Pächter innerhalb ihrer Frei-
höfe anerkannt. — Aehnliches findet sich noch in Baiern.

Ein anderes Beispiel von vielspältiger Gerichtsbarkeit innerhalb derselben Mauern gab uns oben die
Stadt Bamberg.

Obgleich bei der bedeutenden Ausdehnung des
Hochstifts hier die rechtlichen Verhältnisse meist einfacher
waren, als an vielen Punkten des deutschen Reichs,
besonders in Schwaben und am Rhein, so ließen sich
doch leicht noch viele ähnliche Beispiele der Verwick-

lung der rechtlichen Verhältnisse daraus beibringen.
So wollen wir auch nur mit einem Worte der beiden evangelischen Reichsdörfer bei Schweinfurth, Sennfeld und Gochsheim erwähnen, welche Würzburg bis auf diesen Tag mit Gemüsen versorgen und noch eigenthümliche Tracht treu pflegen, wodurch sie die Wochenmärkte in Würzburg merkwürdig machen. Auch sie hatten längst in der Umarmung des mächtigen Fürst-bischofs gelobt, ihn als ihren einzigen Oberherrn an-zuerkennen.

Ueberhaupt war es viel weniger die Kommune, die organisirte Bürgerfreiheit, was die Fürstbischöfe mit Schranken umstellte, als vielmehr das Vorrecht, das Ausnahmsrecht des Adels und besonders geistlicher Korporationen; in den Domkapiteln und in einigen Stiftern war das Privilegium des Adels und der geistlichen Korporation zu Einer Macht verwachsen. — Mehrere Klöster waren nicht nur fürstliche Bauten, sondern sie hatten auch ein Gebiet und ein Ein-kommen fürstlicher als manches reichsunmittelbare welt-liche Fürstenthum. Von der Abtswohnung in einer solchen Abtei sagte man: „bei Hofe", die Mönche, welche eine besondere Stelle bekleideten hieß man „Hofherren".

Mehrere Klöster behaupteten seit einigen Jahr-hunderten, daß sie durch die umsichgreifenden Fürst-bischöfe um ihre Reichsunmittelbarkeit gebracht worden seien. Dem Hochstift Fulda war es gelungen, die aufgedrungenen geistlichen und weltlichen Abhängigkeits-bande Würzburg gegenüber zu zerreißen. Die durch den westphälischen Frieden gesteigerte Souveränität auch

der geistlichen Fürsten [1]) und daß seit den Bedräng-
nissen durch Ludwig XIV. und in Folge seines Beispiels die alten Stände, deren Hauptglieder diese Aebte
gewesen waren, nicht mehr berufen wurden, reizte die
stärkeren Klöster zu dem Versuch sich auch von den
Fürstbischöfen zu emancipiren, wie diese principiell wenig
mehr dem Kaiser unterthan waren. Dann hätte erst
Deutschland recht deutsch ausgesehen! es wäre Ein
Flicken aus lauter kleinen Lappen geworden. Ge-
hässig war es, daß solche Klöster, unter diesem Vorwande der Nichtverabschiedung, sich weigerten, ihre
Kriegssteuer-Beiträge zu geben, als Ludwig XIV., der
seiner Seelen Seeligkeit bei den Jesuiten affecurirt

---

1) Niemand hat diese bösen Folgen des westphälischen Friedens, die Vielherrschaft, die „Fürsten-Republik" besser charakterisirt,
als der edle Ritter, Prinz Eugen, welcher deßhalb keinen westphälischen Schinken auf seiner Tafel duldete. Er nannte jenen
Frieden und die dadurch modificirte Reichsunform: „das Gesetz
der Uneinigkeit", wodurch die „verfassungsmäßige Unthätigkeit"
der einzelnen Fürsten und ihre Pflichtenvergessenheit gegen das
gemeinsame Vaterland garantirt werde; sie sei ein „Machtgesetz"
des Auslandes über Deutschland. Ein aus so vielen schiefen
Theilen zusammengesetzter Körper könne nicht den reinen politischen
Sinn haben, zu seiner Selbsterhaltung etwas Männliches zu
thun. Deutschland bleibe eine Milchkuh seiner Vergewaltiger, so
lange es lieber alles dulde, als daß es Muth fasse, so lange es
seine Stärke nicht zu benützen wisse. „Wie läßt sich Gemeingeist
und Energie erwarten (ruft er entrüstet darüber aus, daß die
deutschen Fürsten ihn bei Vertheidigung der deutschen Gränze so
schlecht unterstützten), da die Fürsten den Kaiser nicht als ihren
Einheitspunkt, folglich immer nur excentrisch (nach einem andern
Mittelpunkt, Zweck zielend) betrachten " — Aber auch Oestreich
sah das Reich nur als seinen „Vorspann-Ochsen" an.

hatte, im Bunde mit dem Türken durch seine Mord-
brennerheere Deutschland überziehen ließ. Der Abt
des reichen Klosters Ebrach im Steigerwald zwischen Bamberg und Würzburg hatte zwar von 1673
bis 1687 die 20,000 fl. betragenden Kriegs- und
Allianzsteuern von seinen Unterthanen erhoben, zugleich
sich aber geweigert, sie herauszugeben, da er sie schon
zu Klosterzwecken verwendet hatte; daher der Fürstbischof auf seine Kellerei (Gefällamt) in Würzburg
Beschlag legte.

Schon 1738 hatte der gelehrte Abt von Ebrach
Söllner in einer eignen Abhandlung die Reichsunmittelbarkeit seines Klosters zu beweisen gesucht. Obgleich sein dadurch angegriffner auch weltlicher Ober-
herr, der Fürstbischof von Würzburg, diese Druckschrift
unter Trommelschlag nicht nur hatte verbieten und
zerreißen, sondern auch widerlegen lassen, waren noch
zwei Ausgaben derselben — und zwar absichtlich eine
zu Rom — erschienen.

Ein Mönch dieses Klosters Ebrach, G. Baumann,
hatte zu Franz Ludwigs Zeit seine „entdeckten Geheimnisse der Land- und Hauswirthschaft" in Wien,
seine „vermehrte Rindviehzucht" in Augsburg, den
„Seidenbau in Deutschland" in Eichstädt drucken lassen
und sich erlaubt, sein Kloster ein „unmittelbares Reichs-
stift" ein „Reichsunmittelbares Stift in Franken" auf
den Titelblättern zu nennen. Der Abt von Ebrach
schien durch seine Approbation dieser Schriften diesen
Titel zu bestätigen.

Dieser jetzt wiederholten Verletzung der Würzburgischen Landeshoheitsrechte trat daher Franz Ludwig

7. Dec. 1784 mit einem Ausschreiben entgegen: „Seine Hochfürstliche Gnaden haben sich daher ohnumgänglich veranlaßt gefunden, sothane, von einem Dero landesherrlichen Oberbotmäßigkeit unterworfnen Kloster nicht zu erbulden seiende Arroganz erforderlichermaßen zu ahnden, sohin gnädigst zu befehlen, daß obberegtes, die Hochfürstlich Würzburgische Landeshoheit über das Kloster Ebrach antastendes Titelblatt, nach vorgängiger Verlesung gegenwärtiger gnädigster Verordnung an gewöhnlichen Orten Dero Residenzstadt Würzburg unter dem Trommelschlag öffentlich verrufen und zerrissen, somit dem Kloster sein Unfug öffentlich zu erkennen und zugleich die Warnung gegeben werde, durch derlei landsassiat vergessenen Uebermuth schärfere Strafverkehrungen nicht zu veranlassen."

Seltsam klingt es unter bewandten Umständen, daß gewöhnlich das Herz der Fürstbischöfe von Würzburg im Kloster Ebrach begraben wurde. Nun, sie hingen ja sehr an demselben und diese Beisetzung mochte zugleich einen Beweis für die Rechte auf dasselbe abgeben. Aehnliche Vorkommenheiten hatten sich auch zur Zeit Ludwigs XIV. im Erzstift Bamberg ereignet. Wahrscheinlich, weil der Fürstbischof auch hier um diese Zeit seine Stände nicht mehr berufen wollte, hatten damals die Aebte der ansehnlichen Klöster Michelsberg, Banz und Langheim ihre Landstäude versammelt. Der Fürstbischof von Bamberg und damit auch ihr Fürst, ließ zumal, da sie es ohne seine Einwilligung gethan, die Aebte verhaften und ihre Klöster besetzen, bis die Aebte gehörige Bürgschaft gegeben hatten, diese ständische Berufung nicht mehr

zu versuchen. Umsonst wandten sie sich an den Reichshofrath in Wien. Was konnten sie dem Kaiser nützen
im Vergleich mit Bamberg?

Indeß behaupteten genannte Abteien noch unter
Franz Ludwig gewisse Privilegien, nur daß jetzt Banz
keinen Vortheil, zu Wahrung einiger Selbstständigkeit,
mehr darin finden konnte, daß es im Geistlichen dem
Bischof von Würzburg, im Weltlichen dem Fürsten
von Bamberg unterstellt war.

Das kaiserliche Abteistift Benediktiner-Ordens
Michelsberg haben wir schon oben als einen Theil
der Residenzstadt Bamberg mit behaupteter eigener
Gerichtsbarkeit begegnet. Es war gleich alt mit dem
Bisthum von 1007. Noch unter Franz Ludwig besaß
es besondere Aemter im Lande.

Die Cisterzienser-MannsAbtei Langheim gegen
Coburg zu hatte lange um ihre Reichsunmittelbarkeit
gerungen. Ihr Abt war kaiserlicher Kaplan. Gegen
1600 hatte er sich wieder zu den Bambergerischen
Landtagen gestellt, um den Plakereien anderer Schutz-
herrn zu entgehen. Hundert Jahre später wurde das
Verhältniß durch Vertrag geordnet; der Abt erkannte,
seitdem bis zur Mediatisirung des Hochstifts Bamberg,
für alle seine Unterthanen, Lehenleute, Beständer, Hin-
tersassen die landes- und schutzherrliche Obrigkeit des
Hochstifts Bamberg mit allen ihren Wirkungen an.
Ein Theil der untergebenen Dörfer holte sein Recht
in erster Instanz bei der abteilichen Stiftskanzlei, in
zweiter bei dem fürstlichen Gericht, andere Dörfer
umgekehrt. Neben den purificirten, d. h. Einem Herrn
gehörigen Dörfern, gab es viele, welche zwei, drei,

vier Herrn gehörten, deren Rechte im Streit lagen. In manchem benachbarten Dorfe ¹) hatten solche Abteien nur zehn, oder nur drei, ja nur einen vogtei- und zehntpflichtigen Unterthanen. — Die Landesgesetze wurden von Bamberg dem Abt von Langheim unmittelbar zugeschickt und zwar im Namen des Fürsten, jedoch vom Abte publicirt, dem damit doch ein Superänitäts-lappen zugesichert war, für einen guten Deutschen ein hoher Trost! Der Fürst seinerseits besetzte beim Tode des Abts die Abtei zur Bewahrung der landesschutz-herrlichen Rechte mit bewehrter Mannschaft.

Zwar auch die Domkapitel, welche früher öfters mit offener Gewalt mit den Bischöfen um die Mit-

---

1) Ein helleres Beispiel von deutscher Mannigfaltigkei: bietet z. B. das im fürstlich Bambergischen Vogteiamte Eggols-heim gelegene Dorf Bammersdorf. Dasselbe bestand aus

4 Vorcheimer Kasten-
8 Eggolsheimer Gotteshaus-
1 Vorcheimer Stifts-Obley-
2 Vorcheimer Spital-
3 Vorcheimer Raths-
3 Büttenheimer Gotteshaus-Lehen,
2 freyeignen Häusern,
12 Stefaniter-Stifts- und
7 Domkapitular-Receptorats-Lehen, also aus 42, sage

42 Häusern mit 205 Seelen. Zehntherren hatte es nur zwei, nur die beiden letzteren Lehensherren nahmen die Territorialhoheit über ihre Lehensleute in Anspruch, die andern standen unter dem fürstlichen Vogteiamte. — Angesichts eines solchen Reichthums der Verhältnisse geht jedem guten Deutschen das Herz auf.

In dem gleichnamigen Weiler im Kameralamt Ansbach waren 2 Seelen Unterthanen von diesem, die 5 übrigen Personen sonst fremdherrlsch.

---

und Oberherrschaft gerungen hatten, mußten seit einigen
Jahrhunderten an Macht verlieren. Allein besonders
weil ihnen ausschließlich das Recht zustand den Fürstbischof zu wählen, wußten sie sich durch Wahl-Kapitu-
lationen wohl zu schützen; jedoch hoben sie es längst
mehr auf ihren finanziellen Nutzen und ihre Bequem-
lichkeit, als auf Gewalt ab.

In Würzburg hatte der gewaltige Fürstbischof
Julius auch dem Domkapitel gegenüber die Fürstengewalt sehr fest gestellt. Dessen verfänglichem Ansinnen,
sich einen Coadjutor, d. h. einen halben Nachfolger
noch bei Lebzeiten zu ernennen, hatte er mit Humor
begegnet; er sah die Domherren der Reihe nach an
und schüttelte bei jedem den Kopf. — In Würzburg
hatten seit 1688 die Landstände aufgehört, an deren
Wiedereinführung nach dem Lüneviller Frieden, aber
vergebens, wieder gearbeitet werden wollte. Das Kapitel allein hatte z. B. bei Schätzung, Umlage und in
ähnlichen wichtigen Fällen seine Einwilligung beizugeben,
in welchen? — bestimmte die jedesmalige Wahlkapitulation. Diese Einwilligung holte Franz Ludwig auch
bei Ueberlassung von Truppen an Oestreich ein.

In Bamberg gelang es neben dem Domkapitel
noch einigen andern Körperschaften bis zur Mediatisirung einige erkleckliche Fetzen der früher gemeinsam
geführten Suveränität, ja Oberherrschaft an sich zu
behalten. Die Ausübung der fürstlichen Gewalt in
beiden Hochstiften stand, wie in allen geistlichen Fürstenthümern, solange der geistliche Fürstenstuhl durch
den Tod oder sonst erledigt war, in allen Punkten,
die keinen Verzug hatten, beim Domkapitel.

Bernhard, Franz Ludwig.   3

Das Domkapitel wählte seit vierhundert Jahren auch den Hochstiftsregenten (Fürstbischof) aus seiner Mitte durch unbedingte Stimmenmehrheit. Der Fürstbischof setzte beim Domkapitel nach seiner Willkühr nur den Kustos, Scholastiker (Theologen, öfters ein Bürgerlicher) und den Kantor ein, verlieh auch die Präbende, welche er bisher selbst besaß. Die übrigen Plätze, besonders die des Dechanten, der die Civil-Gerichtsbarkeit über die Kapitelglieder hatte, besetzte das Kapitel meist nach Familien- und sonstigen Gunst-Rücksichten aus den stiftsfähigen Familien.

Auch in Bamberg waren dem Fürstbischof im Jahrhundert vor der Reformation, von 1422 an, die Hände vom Kapitel durch Wahlkapitulationen gebunden worden. Die 1693 errichtete war sehr scharf. Sie bestimmte, daß wenn der Fürst sie übertrete, so solle er vom Kapitel vermahnt und, wenn er nicht abstehe, den Steuerbeamten so lange verboten werden ihm seine Renten zu bezahlen, bis der Fürst dem Kapitel volle Genüge gethan. Der Fürst solle Niemanden darüber „Widerwillen, Ungnade, Gehässigkeit verspüren lassen", sondern solches gutwillig aufnehmen. Der Fürst solle (weder beim Papst, noch Kaiser) sich von seinem Kapitulationseid können dispensiren lassen, noch „einen obersten Schutz suchen", ihn vielmehr geheim halten. (So schon 1443.) Sollte der Fürst über die Auslegung der Kapitulation mit dem Domkapitel in Streit gerathen, so müsse er den Proceß aus eigenen Privatmitteln führen, nicht auf Kosten des Hochstifts, daher er sein Hab und Gut dem Kapitel zu verschreiben und zu verpfänden hatte.

Das zu Franz Ludwigs Zeit zu Recht bestehende Staatsgrundgesetz war der zwischen dem Fürsten und dem Domkapitel 1748 abgeschlossene Haupt- und Grundreceß, welcher durch die Wahlkapitulationen jedesmal noch näher bestimmt wurde. Nach jenem Recesse saßen im Obereinnahms-Kollegium der Abt von Michelsberg im Namen der Prälaten, ein Deputirter des Domkapitels, einer des Stadtmagistrats von Bamberg. Bei dem Kammerumgelds-Amte war ein kapitlischer und ein stadträthlicher Deputatus vorhanden. In Neuerungsfällen von Wichtigkeit wurde von Seiten des Fürsten die domkapitliche Einwilligung eingeholt.

Der Fürst durfte nur aus der Mitte des Domkapitels die Pröbste der Kollegiatstifte (drei zu Bamberg, eines zu Vorchheim), die Präsidenten der Gerichtshöfe und die Oberpfarrer ernennen. Die Kapitel beider Hochstifte hatten auch durch das Recht, die Freistellen bei dem Aufseeß'schen Priesterseminar zu besetzen, eine schöne Anzahl von Klienten unter der Geistlichkeit, wozu noch ihre Patronatrechte bei Besetzung vieler geistlichen Aemter kamen.

Dem Bamberger hohen Domkapitel gehörten die Landämter Staffelstein, Döringstadt, Burgellern, Fürth, Mayneck, Büchenbach und eine Menge zerstreuter Vogtei-, Lehen-, Zehnt- und Güter-Pflichtiger. Es war daher nicht zu verwundern, daß zu Zeiten ein hohes Kapitel dem Fürstbischof Unterthanen, ein Dorf, einen einträglichen Hof oder sonst ein Lehen schenkte. Diese Mannigfaltigkeit von Vogtei- und Eigenthumsrechten der Fürstbischöfe, der Kapitel, der Stifter und Klöster durcheinander machte eine Menge Kanzleien

3 *

und Beamte nothwendig, so daß nirgends der Deutsche
so leicht und häufig zu seiner eigentlichen Bestimmung
gelangte, Kanzleibeamter zu werden, als in geistlichen
Staaten. Die Meisten waren zuvor einige Zeit Studenten, doch überstudirten sich Wenige, da es mehr
auf Gunst der Fürstbischöfe, der Domkapitulare, Aebte
ankam, manchmal mehr auf die Verdienste einer
Schwester als des Kandidaten. Alles was sich in den
geistlichen Ländern für zu gut hielt um hinterm Pflug
zu gehen oder sonst Handarbeit zu thun, schlug sich
dahin; daher auch hier der eigentliche Gewerb- und
Handelsstand, überhaupt das unabhängige Bürgerthum
nicht zu finden war, wodurch manche Uebelstände der
Jetztzeit vermieden wurden.

Das Domkapitel in Würzburg bestand aus vierundzwanzig Kapitularen [1]) und dreißig Domicellaren,

---

1) Alle Dom- und andere (Collegiat-) Stifte waren mit
Kanonikern besetzt, welche sich zur Weltgeistlichkeit zählten, ohne
in der Regel die Last der Seelsorge, der Predigt zu tragen.
Umsonst hatten schon im achten Jahrhundert ein Bischof von
Metz und Concilien sie zu klösterlichem Zusammenleben verpflichtet.
Sie zerfielen in canonicos majores (Kapitularen), die alle Rechte
und Einkünfte genossen und bei einer bischöflichen Kirche Domherrn hießen und can. minores oder domicellares, welche erst
Aussicht auf jenen vollen Genuß hatten. Gegen zwei Drittheile
der Domherrn-Einkünfte wurde auch den abwesenden Domherrn
verabfolgt. Etwa ein Brabanter Thaler wurde jeden Tag von
einem Beamten den an diesem Tage im Chor singenden auf den
Platz gelegt; ebenso viel auch den Domicellaren, nur daß deren
ganzes Einkommen darin bestand. Die Domicellaren waren oft
noch sehr Minderjährige von Adel, welche dann vom Erscheinen
dispensirt wurden, ohne die Einkünfte zu verlieren.

das in Bamberg aus zwanzig Kapitularen und vierzehn Domicellaren. Unter jenen Zwanzig waren zwei Prälaten, der Dompropst und Dombechant, welche das Kapitel selbst wählte. Um in dieses „glänzende Korpus" aufgenommen zu werden, mußte man väterlicher und mütterlicher Seits acht abeliche Ahnen „probieren" (nachweisen), und daß seine Familie schon über hundert Jahre in einem unmittelbaren Ritterkantone begütert sei.

Risbeck bespricht diese Sache auf seine Weise: „Die Pfründen der Domherrn zu Würzburg und Bamberg gehören unter die besten von Deutschland. In guten Jahren trägt eine 3500 und mehrere Gulden ein. Man findet aber schwerlich einen Domherrn, der nur Eine Pfründe hätte. Manche haben vier bis fünf Pfründen in ebenso vielen Stiftern (und Domkapiteln) und kommen jährlich auf ihre 8, 10 bis 12,000 Gulden zu stehen. Die Prälaten dieser hohen Stifter ziehen jährlich wohl 20 bis 30,000 Gulden. Die ganze Arbeit eines deutschen Domherrn besteht darin, daß er nur in einem gewissen Monat des Jahres bei dem Singen des Chors in der Stiftskirche erscheinen muß und er braucht keine andern Talente, als lateinisch lesen zu können und von einer stiftsmäßigen Mutter geboren zu seyn. In einer gewissen bischöflichen Residenzstadt Deutschlands hat man das Sprüchwort: daß sich die Domherrn selbst machten. Wenigstens sieht man sie in solchen Residenzstädten am häufigsten um die stiftsmäßigen Damen."

Da der Papst darauf bestand, daß in jedem Domkapitel doch auch ein Doktor der Theologie seyn müßte,

erhielt manchmal Ein Bürgerlicher oder zwei die Dom-
herrnwürde.

Aus diesem Allem erhellt, daß man nur un-
eigentlich sagen mochte, daß diese geistlichen Fürstenthümer der katholischen Kirche
gehörten. Sie hatte allerdings den Namen, vielfältig auch das Gehässige davon.
Dem Adel gehörte das Mark dieser meist von Natur
reichen Lande, ungleich mehr als englischer Boden der
Hochkirche, mit der die Hochstifte auch sonst viel Aehnlichkeit hatten. Die andern Menschen darin — wir dürfen
nicht einmal sagen: der Bürgerstand — fühlten alle
Behaglichkeit, aber auch den Druck unverantwortlicher
Fürstengewalt und der patriarchalischen Verhältnisse in
reichsunmittelbaren Ritter-Territorien, insbesondere die
der Junggesellenwirthschaft. Nur die Adelsvorrechte
waren durch das Kapitel gedeckt und garantirt; dieser
Adel in Kapitel war aber großentheils ein fremdlän-
bischer, wenn auch zum Theil aus den benachbarten
Ritterkantonen, nur gastweise sich aufhaltender. Keine
Rücksicht auf Leibeserben mahnte zur Schonung der
Hilfsquellen; sie wurde nur unvollkommen durch das
Herkommen ersetzt, daß einmal im Kapitel eingenistete
Adelsfamilien gewöhnlich für immer eine Anwartschaft
auf eine oder einige Stellen behielten. Der Miß-
brauch des Kredits durch Schuldenmachen war zum
Glück hauptsächlich durch die überwiegende Naturalien-
Wirthschaft gehemmt.

Diese sogenannten Kirchenländer waren
sonach im Großen ein gemeinsames Minorat
für den landsäßigen und den benachbarten reichsun-

mittelbaren Adel, da besonders der reichsunmittelbare
Adel seine jüngeren Söhne, nebst dem Hof- und Militärdienst, wo er überall die gebührende Vorhand hatte,
der Kirche widmete [1]). Vom Adel stammten allerdings
nicht die wenigsten Stiftungen, — obgleich der Grund-
stock von den alten Kaisern herkam —; indem der
Adel für diese Kirchenlande Stiftungen machte, ver-
stärkte er das unter den Schutz der Kirche gestellte gemeinsame Standesvermögen, dieses ungeheure Standes-
Fidei-Commiß.

In einer Rede hat noch 1845 der wohl am
tiefsten in diese Verhältnisse schauende Kardinal Pacca,
der ehemalige päpstliche Nuncius in Deutschland, sich
über die Auflösung und Mediatisirung dieser geistlichen
Fürstenthümer und über ihre Folgen für die katholische
Kirche, besonders dem Vorwurf gegenüber, daß sich
jetzt auch der katholische Klerus in Deutschland in
Abhängigkeit von den Regierungen und in Beschränkt-
heit befinde, dahin vernehmen lassen: „Es ist dieß kein

---

1) Solange der deutsche Adel für alle seine, auch noch so
zahlreichen ehlichen Kinder den Glanz des Adels behaupten will,
so lange er nicht Patriotismus und Standessinn genug hat, um
die englischen Majorate zu adoptiren, muß Hof, Kirche, Staat
ihm für die Nachgebornen Sinecuren oder, bei Besetzung der
Staatsämter, seitdem der Adel studirt, ein ungesetz'iches Vorrecht gewähren, welches den Bürgerstand stets erbittern muß.
Ein Adel nach dem englischen Grundsatz ist die stärkste Stütze
der Throne, ein Adel der für sein ganzes Blut gleiche Theilung
seines Vermögens verlangt, aber dem Bürgerstand gegenüber
(dem er sich doch damit gleichstellt) sich abschließt und vor ihm
den melkenden Nutzen voraus haben will, gefährdet die sich ihm
überliefernden Regierungen.

Unglück; denn wenn die Bischöfe keine weltlichen Domänen mehr besitzen, die zur Stütze der geistlichen Macht allerdings sehr wirksam seyn könnten, wenn sie auf die rechte Weise angewendet würden, so leihen sie der Stimme des obersten Kirchenhirten ein um so willigeres Ohr, und suchen nicht dem Beispiele des hochmüthigen und ehrgeizigen Patriarchen von Constantinopel (oder Erzbischofs von Cöln und Mainz) zu folgen, noch auch eine fast schismatische Unabhängigkeit zu erringen. Auch das katholische Volk dieser Diöcesen sieht gegenwärtig bei Pastoralbesuchen das Angesicht seiner eigenen Bischöfe und hört, bisweilen wenigstens, die Stimme seiner Hirten. Bei Ernennung von Domherrn und Besetzung von Kapitelwürden wird mehr auf das Verdienst als auf den Glanz der Geburt gesehen und es ist nicht mehr nothwendig die Papiere staubiger Archive zu durchstöbern, um zu den andern Erfordernissen der Bewerber auch den Beweis aufzufinden, daß man von sechzehn Ahnen abstamme. Man darf damit hoffen in Zukunft zwar einen weniger reichen, aber einen desto erleuchteteren und frömmeren Klerus zu besitzen."

Wenn der greise Kardinal es als ein Glück achtet, daß nun wohl keine gedienten Militäre mehr Bischöfe werden würden, so vergißt er, welche Dienste gerade Solche Rom in den Zeiten der religiösen Bürgerkriege Deutschlands leisteten, welche Zeiten ja wiederkehren können. Entschieden aber ist, daß das adeliche dolce far niente durch die Sekularisation dieser geistlichen Lande sehr unsanft berührt wurde, während Rom es mit keinen Bischöfen mehr zu thun hat, welche sich

als Fürsten des deutschen Reichs fühlend ihre Fürsten-
ehre haben. Die katholische Kirche hat in ihrer hier-
archischen Verfassung die hinreichenden aristokratischen
Elemente und fühlt sich verjüngt, indem sie auch in
seine höchsten Organe reichlich demokratisches Volks-
blut einströmen läßt.

Es waren besonders die östreichischen Erzherzoge,
welche gegen Ende des vorigen Jahrhunderts Roms
Macht in Deutschland durch die Plane auf eine relative
Selbstständigkeit der katholischen Kirche in Deutschland
unter ihren Erzbischöfen bedrohten. Seit der Reformation war dieß das erste Beispiel eines solchen kühnen
Versuchs, wozu die Aufklärung nebst den kaiserlichen
Traditionen die innersten Motive bot. Der größte
Theil des deutschen Adels, damals zum Theil in seiner
lokalen Urrohheit, zum Theil französirt, hielt sich frei
von deutschen National-Bestrebungen; es war ihm
damals meist nur um die eigenen Vorrechte zu thun,
wenn er — wie die kleineren Fürsten — von deutscher
Freiheit und Reichsverfassung sprach. Wie er denn
auch der einzige Stand im deutschen Reiche war, der
zu den Reichslasten nach altem gutem Rechte so gut
als nichts beitrug.

Es mag ganz passend seyn der Welt zu zeigen,
wie auch alle scheinbar zerstörenden Weltereignisse der
römischen Kirche zum Besten gereichen müssen — der
Augenschein beweist es oft genug —, die Aufhebung
der geistlichen Fürstenthümer mit ihren Domkapiteln
war nur ein harter Schlag für den Adel und für die
Herrschaft des Hauses Habsburg in Deutschland. Dieß
und wie damit die alte deutsche Reichsverfassung in

Auflösung gerathen mußte, nachzuweisen, behalten wir einer andern Gelegenheit vor.

Acht Erbämter besaß der Adel am Würzburger Hofe:

das Erb-Obermarschallamt: die reichsfreiherrliche Familie von Guttenberg zu Kirchlauter,

das Erb-Oberschenkenamt: der Reichsgraf von Castell zu Castell,

das Erb-Truchseßenamt: der Reichsgraf von Schönborn zu Wiesentheid,

das Erb-Oberkämmeramt: der Reichsgraf von Seinsheim,

das Erb-Untermarschallamt: die reichsfreiherrliche Familie von Bibra,

das Erb-Küchenmeisteramt: die Reichsfreiherrn von Thüngen,

das Erb-Unterkämmeramt: die Reichsfreiherrn von Zobel ¹) von und zu Giebelstadt.

In Bamberg waren die vier Churfürsten von Böhmen, Sachsen, Pfalz, Brandenburg die Erboberbeamten des Hochstifts, welche aber vier fränkische adeliche Geschlechter mit Erbunterämtern belehnten. — Mit diesen Stifts-Oberhofämtern hatte es schon Kaiser Heinrich zu Anfang des eilften Jahrhunderts so ge-

---

1) Dem Vernehmen nach gehört der in den neuesten Feldzügen so rühmlich genannte östreichische Feldherr dieses Namens dieser Familie an. Ein Johann Friedrich aus dieser Familie von 1577 bis 1580 Fürstbischof von Bamberg hatte vieles Geschick gezeigt, die Ersparnisse seines Vorgängers zu verschwenden.

ordnet, um dem von ihm gestifteten Bisthum mehr
Ansehen zu geben. Für Sachsen hatten das Erbmar-
schallamt die von Ebert, für Böhmen das Erzschenken-
amt die von Auffees im Ritterort Gebirg, das Erb-
truchseßamt für Pfalz die von Pommersfelden, für
Brandenburg das Erbkämmeramt die von Rotenhahn.
Eine baare Förmlichkeit war es, daß der Fürstbischof
von Bamberg Sachsen mit Wittenberg, Pfalz mit
Hohenstein zu belehnen hatte, denn es geschah ohne
Lehenseid und war kein Rückfall möglich.

Aus diesem Allem aber erklärt sich, daß 1722,
um die übermäßige Vergrößerung sowohl des Adels,
als der Stifte und Klöster zu verhindern, der Fürstbischof von Würzburg ein Verbot erließ, an jene ohne
seine besondere Erlaubniß bürgerliche Güter zu verkaufen. Derselbe Fürstbischof von Würzburg sah sich
genöthigt zu gemeinsamer Behauptung seiner Hoheitsrechte gegen die dieselben (wohl mit Hülfe des Domkapitels) immer mehr beeinträchtigende Ritterschaft
eine Verbindung zu schließen mit dem Kurfürsten von
Sachsen, den Markgrafen von Brandenburg, den
Landgrafen von Hessen; bald trat noch ein Landgraf
von Hessen, der Markgraf von Baden und der Herzog
von Sachsen-Gotha bei.

Franz Ludwig hatte von dieser bevorrechteten
Partei zwar keinen offenen Widerstand, aber eine un-
abläßige, oft empfindlichere Beurtheilung, Verläum-
bung, empfindlichere Intriguen und Hemmungen zu
erfahren, als ihm wohl der offene Widerstand von
Landständen bereitet hätte. Er mußte es sattsam
erfahren, daß Vorrechte Weniger für den Regenten

ein schärferer Dornenzaun find als die sich selbst beschränkenden Rechte Aller.

Wir haben schon oben gesehen, wie außer den Domkapiteln und superänitätsluftigen Klöstern dita Stifte sich fanden, z. B. die zu St. Haug, St. Burkard in Würzburg. Risbek schreibt: „Man versicherte mich, daß jeder Domherr von Würzburg, wenn er in das Kapitel eintritt, von allen seinen Herrn Kollegen einen Ruthenschlag aushalten müsse. Diese seltsame Inaugurationsart soll hindern, daß kein Prinz, um diese feierliche Erniedrigung zu vermeiden, in das Kapitel aufgenommen zu werden verlange" [1]. Das Wahre daran ist, daß es in Würzburg unter andern ein reiches weltliches Kollegiatstift zum Hl. Burkard gab, deffen Chorherrn ihren Adel wie die Domherrn legitimiren mußten. (Das Stift zählte acht Kapitularen, neun Domicellaren, zwölf Vikarien.) Es wählte sich seinen Probst aus der Zahl der Domherrn. Die Chorherrn des Stiftes waren nur wenige Wochen des Jahrs an Ort und Stelle, sie waren auch in diesen wenigen Wochen nur dreimal gehalten in die Kirche zu gehen. Dafür bezogen sie ihren Antheil an den reichen Einkünften des Stifts.

Die Ceremonie der Aufnahme in dieses Kollegiatstift, der „Emancipation" von der gewiß nicht harten Zucht des Scholasters und Kantors, geschah noch zu Franz Ludwigs Zeit, vielleicht nach dem Vorbild der

---

1) Diese Erklärung verwirft Risbek aus dem Grunde, weil sich gewiß kein deutscher Prinz dadurch abhalten ließe, an einem mühelosen fetten Genuffe Antheil zu nehmen.

Ceremonie bei Freilaffung eines römiſchen Sklaven, durch Ruthenſtreiche auf den entblößten Rücken. Es wurde aber, wie im Kollegiatſtift zu St. Haug längſt geſchehen war, dahin abgeändert, daß der Aufzunehmende nur das Chorhemd ablegte, und die Streiche auf den mit dem Chorkleide bedeckten Rücken erhielt. — Dieſer geiſtliche Ritterſchlag ſoll lange auch bei der Aufnahme in das Bamberger Domkapitel Statt gehabt haben. Bei der Aufnahme eines daſigen Domicellaren wurde dieſer vom Unter-Cuſtos zu einem nahen Bäckerladen geführt. Hier bat er um Almoſen, erhielt einen Wecken (Semmel), gab ihn einem armen Knaben und dann den ganzen Brodvorrath auf ſeine Rechnung dem Volke Preis.

Faſſen wir Obiges zuſammen in der zuverläßigen, klaren Darſtellung von Meiners:

„Die Einkünfte der Domkapitel in Bamberg und Wirzburg ſind nicht genau bekannt. Unterdeſſen behaupten die am beſten unterrichteten Männer, daß die Einkünfte des Einen und des Andern wenigſtens den dritten Theil der Einkünfte eines jeden Landes, das heißt der Kammer und Obereinnahme ausmachen. Aus dieſen Einkünften unterhält das Domkapitel in Wirzburg, neben einer Menge von weltlichen Bedienten, vierundzwanzig Kapitularen, dreißig Domicellaren und dreißig und einige Vikarien. Eine einfache Domherrenpfründe bringt in Wirzburg 1500 bis 2000, in Bamberg 2500 Gulden ein. Domicellaren erhalten in Wirzburg 800 Gulden und die Vikarien 500 Gulden. Faſt alle Domherren beſitzen zwei oder drey Pfründen. Außer dieſen empfangen die Aelteren ſogenannte Ob-

leyen, welche in guten Jahren einzelnen Mitgliedern
der Domkapitel zehn bis zwölftausend Gulden abwerfen
können. Zu den Pfründen und Obleyen kommen endlich noch reiche Oberpfarreyen, ebenso reiche Probsteyen
in Collegiatstiftern, und in Bamberg Geheimeraths-
Besoldungen, die allen Domherrn ausgezahlt werden.
Wenn alle diese Summen nicht bloß verzehrt würden,
so ist kein Zweyfel, daß der Ackerbau, der Handel,
oder auch Manufakturen außerordentlich dadurch belebt
werden müßten."

„Die Art, wie die Einkünfte der Domstifte verzehrt werden, thut der Industrie und dem Handel der
geistlichen Länder einen nicht geringen Abbruch. Einige
wenige peremtorische Tage ausgenommen, ist gewöhnlich nur der vierte oder fünfte Theil der Domherrn
in den Stiftsstädten, wo sie präbendirt sind, gegenwärtig. Wenige unter den residirenden Domherrn
halten selbst ein Haus. Vielmehr leben die Meisten
als Gäste, oder als Reisende, die wieder fortziehen,
sobald es die Statuten erlauben. Diese bauen also
weder Gärten, noch Häuser, und tragen wenig oder
gar nichts zur Verschönerung der Städte und zur Vermehrung der bürgerlichen Nahrung bei. Nicht selten
geschieht es, daß Domherrn mehr brauchen, als sie
einnehmen und daß die von ihnen gemachten Schulden
am Ende unbezahlt bleiben. Es wäre ein unbeschreib-
liches Glück für die geistlichen Länder, wenn viele
Mitglieder der Domkapitel ihre Einkünfte auf eine
so wohlthätige oder würdige Art anwendeten, als
die Dalberge, die Waltersdorfe, die Fechen-
bache, die von der Leyen, die Bibra's, die

Stadione, die Große und andere diesen ähnliche, von ganz Teutschland verehrte Männer thun."

„Die weltlichen Mitglieder eben der Geschlechter, welche die bisher erwähnten Vortheile genießen, fordern oder erlangen, vermöge ihrer Geburt die einträglichen Hofämter und Oberamteyen, sowie die ersten Stellen im Militair. Dieß ist einem Protestanten um desto befremdender, da die reichsritterlichen Familien nicht einmal einen Theil des Volks, und ihre Besitzungen keinen Bestandtheil des Landes ausmachen: da sie gar nichts zu den öffentlichen Lasten beitragen, der obersten Gewalt nicht unterworfen sind, und alle Einrichtungen, die zur Sicherheit, oder Aufnahme des Landes getroffen werden, Schulanstalten, Verbesserungen des Armenwesens und der übrigen Polizey in ihren Gebieten nicht annehmen dürfen, und sehr oft absichtlich hindern."

Soweit der allerdings nicht geistreiche, aber zuverläßige Bericht von Meiners zur Schilderung der guten alten Zeit.

7) **Regierungsmaximen, Vorwürfe gegen Franz Ludwigs Regierung und deren Ursachen.**

Der geheime Referendarius und Kanzler Franz Ludwigs, Wagner, sagt in seiner Selbstbiographie: „Bei einer jeden neuen Regierung — ich habe deren mehrere erlebt und spreche aus Erfahrung — ist des Auflauerns, Anklagens und Denunzirens kein Ende. Ein jeder neuer Regent ist dieser Pest der bürgerlichen Gesellschaft ausgesetzt; wird sie ihm nicht in frühen Jahren durch die Geſchichte prophylaktiſch (wie die Kuhpocken) eingeimpft und er iſt nicht vollkommen davon geneſen, ſo wird er gewiß ſchiefe Schritte machen."

„Auch bei Franz Ludwigs Regierungs-Antritt ge-
ſchahen Denunziationen gegen Beamte und andere
Staatsdiener. Man ſchrie Würzburg bei dem Fürſten
als den Abgrund des Sittenverderbens aus, weil ein
paar Freudenmädchen ſtark beſucht wurden. Man be-
nunzirte bald dieſen, bald jenen Geiſtlichen. Dieſes
veranlaßte den Fürſten zu geheimen Kommiſſionen und
Unterſuchungen. Das Uebel wurde darum nur geheimer getrieben" [1]).

Wie Franz Ludwig es mit den Denunzianten hielt,
ſobald er einige Erfahrungen gemacht hatte, erhellt
aus einer Anekdote, die noch im Munde der Würzburger lebt: Eine koſtbare Paſtete war an ſeiner Tafel
aufgeſtellt worden, aber die Gäſte alle hatten ſie an
ſich vorbeigehen laſſen ohne zu wagen ſich an ihr zu
vergreifen. Die Dienerſchaft aber erbarmte ſich der-

---

1) Wie wenig ſelbſt das reinſte Beiſpiel vermag in einem
Staate, wo die Eheloſigkeit einen gewiſſen Vorzug und Empfeh-
lung genießt, ja Vielen ein Gebot iſt, in einem Junggeſellen-
ſtaate, auch ärgerlichere Uebertretungen des ſechſten Gebots zu
verhindern, zeigen einige Geſchichten aus Franz Ludwigs Regierungszeit. Einmal wußten ſich einige Beamte durch ſein un-
verhofftes Erſcheinen auf der Kanzlei nicht anders zu helfen, als
daß ſie ein Weibsbild in den Kleiderkaſten ſperrten; da er ſich
länger in dieſen Räumen aufhielt, eröffneten ſie ihre Noth und
die Gefahr des Erſtickens dem Kanzlei-Direktor, welcher dann
durch Vorſpiegelung dringender Geſchäfte in auswärtigen Angelegenheiten, für welche derſelbe jeden Augenblick parat war, den
Fürſtbiſchof noch zur Zeit entfernte.

-felben fofort. Einer davon denuncirte es bei Franz
Ludwig, welcher die übrigen Diener verwarnte, den
Denuncianten beftrafte.

In der erften Zeit feiner Regierung gefchah es,
daß einer feiner tüchtigften Landbeamten, Heffner, fich
in Befitz eines zwifchen Würzburg und Mainz ftreiti-
gen Zehnt-Objektes fetzte. Die Mainzifchen fetzten ihm
mit einigen Hufaren bis vor fein Amthaus nach und
drohten einzudringen. Um fein Hausrecht zu wahren
und da auch die betreffenden Urkunden fich im Amt-
haufe befanden, ftellte Heffner fich mit einem Paar
Piftolen davor hin und drohte, den Erften, der einen
Schritt weiter thue, niederzufchießen. Auf Diefes giengen die Mainzifchen zurück.

Er wurde fofort zum neuen Fürften beordert und
mußte den Vorfall erzählen. Nun, fagte ihm der
Fürft in feiner etwas rauhen Baßftimme, die zu feiner
feinen Figur fich feltfam reimte: „Das hat Er auch nicht
gerade nöthig gehabt. Zu fcharf fchneidet nicht,
zu fpitz fticht nicht!"

„Eile mit Weile" war von Anfang an einer
feiner ftreng beobachteten Grundfätze. So fagt
auch Leibes, Angefichts derer, die Zeugen vom Leben
und der Regierung unfers Fürftbifchofs waren, in feiner Trauerrede: „So viele Kenntniffe Fr. Ludwig zum
Herrfchen mitgebracht hatte, fo traute er fich doch fo
zu fagen im Anfange felbft nicht. Er griff in den
erften Jahren der Regierung nicht in den Gang der
Dinge ein: er fahe, als fehe er nicht; er erweiterte
im Stillen feine (fchon reichlich gefammelten) Einfich-
ten durch das Eindringen in die einzelnen Theile

Bernhard, Franz Ludwig.　　4

feiner Geschäfte und setzte feine Beobachtungen so lange
fort, bis er feinen Staat in allen feinen Theilen und
Verhältniffen, die Kräfte, die noch unbenützt da lagen,
den Charakter feines Volks, die herrschenden Grund-
fäße und Gebräuche durchaus kennen gelernt hatte.
So entschloffen Franz Ludwig feyn konnte, fo fehr
verstand er die große Kunst zu fäumen, den schicklichen
Zeitpunkt abzuwarten, wo es galt, mit allem Ansehen
und mit richtig berechnetem Erfolge zu handeln."

So brauchte er von feinen Gefetzen und Befehlen nachgehends nicht einen Theil zurückzunehmen, was
die Achtung vor dem Regenten, die er fest behauptete,
schmälert, feinen eignen Muth schwächt. Ueberhaupt
hielt er nichts auf das viele Gefetzgeben, fondern mehr
auf Erziehung und Zucht; es gieng auch ihm, dem
Rechtsgelehrten, wie jenem Chinefen, dem ein Parifer
Bibliothekar unter Ludwig XV. die weitläufigen Samm-
lungen und Erklärungen der franzöfischen Gefetze zeigte;
worüber der Chinefe äußerte: da mag es nicht gut
leben feyn, wo es fo viele Gefetze giebt. Aber darauf
hielt er fest, daß die Gefetze ohne Wählerei gehalten
würden, und erwies fich stets als den fleißigsten, als
den ersten Diener der Gefetze.

Derfelbe Leibes fagt: „Um fich gegen Ueberra-
fchung zu verwahren, mußte Alles fchriftlich verhandelt
werden. Er entschied nie auf der Stelle, außer wenn
die Nothwendigkeit unabweislich war, ertheilte nie wichtige Befehle über Staatsfachen blos mündlich, gewährte
nie die an ihn gestellten Bitten im Augenblick." —
Hier fehen wir die gefunden Wurzeln des feit dem
Zeitalter des großen Friedrich und Kaifer Jofephs

Räthenden schriftlichen Verfahrens, das, wie jede menschliche Einrichtung, seine Ergänzung und Erfrischung durch kräftige Persönlichkeiten bedarf. Und gerade seine Person sparte Franz Ludwig nicht, setzte sie unmittelbar ein.

Wir mögen nun würdigen, was eine spätere Schrift [1]) gelegentlich von Tadel über seine Regierung und namentlich über seine Regierungs-Anfänge ausspricht: „Er forderte viel von seinen Räthen und ahndete scharf, was seiner Ansicht nach in den Arbeiten derselben ihm nicht gefiel und zwar anfänglich so unbescheiden und derb, daß ihm die Regierung, ihrer gerechten Sache sich bewußt, durch ein allgemein gefaßtes Conclusum erklärte, sie würde keines seiner Rescripte mehr in das Protokoll eintragen, um bei der Nachwelt keine Urkunde solcher unverdienten Behandlung zu hinterlassen. — Darauf ging er in sich, erklärte ihr schriftlich, daß er ihr Unrecht gethan, und ihr rechtlich gegründetes Verfahren mit Dank anerkenne und sie ausdrücklich ersuche, diese seine Erklärung zu Protokoll zu nehmen und aufzubewahren."

Wir wollen durchaus nicht läugnen, daß ein nervenreizbarer Mann, welcher sich in der Regel mit Selbstbeherrschung zusammen nahm, öfters auch scharf ahnden konnte und mußte. Der ganze Ton und Stich dieses Vorwurfs deutet auf eine etwas hochgelegene Quelle desselben und macht die Erwiederung Sprenkes darauf höchst glaubwürdig. Derselbe sagt [2]): „Diese

1) „Der achte Julius", ein Nationalfest für Franken. Würzburg, bei Dorbath 1825.

2) Wohl durch das ebengenannte Büchlein sah sich ein Würzburger Geistlicher veranlaßt zu schreiben: Franz Ludwig aus

4*

Erörterung kann nicht abgehen, ohne eine gewiffe Klaffe
von Staatsdienern, sowie den Regierungsvorfahren
Franz Ludwigs zu kompromittiren. Die reine Thatsache
ist: Beim Regierungsantritte Franz Ludwigs führte
der Staatskalender eine mit dem kleinen Lande nicht
im Verhältniß stehende Ueberzahl von Hof- und
Regierungsräthen auf. Sie waren in zwei Ab-
theilungen, die adeliche und die gelehrte Bank
getheilt. Jene hieß gemeiniglich die „ungelehrte Bank",
ein bedeutender Theil davon stand nur zur Parade und
als Pfründner des Staats auf dem Papiere."

„In Vergleich mit der bedeutenden Zahl von Räthen gieng dem geschäftskundigen Fürsten der Geschäftsgang viel zu langsam, zur Aufregung größerer Thätigkeit nahm er einst, nach seinem gewöhnlich Morgens
vorgenommenen Spazierritte, seinen Weg durch die
Domstraße am Regierungsgebäude vorüber, stieg da,
eben zur Stunde, wo die Sitzung beginnen sollte, ab,
verfügte sich geraden Wegs in den Sitzungssaal und
präsidirte der Sitzung, maß mit ernstem Auge die leeren Plätze der Abwesenden, bezeigte sein Mißfallen
über das zu Spätkommen und Ausbleiben so mancher,
deren Gegenwart man mit Recht zu erwarten hatte. —
Nun gieng der Rescriptenwechsel vom Kabinete an

---

dem freiherrlichen Geschlechte von und zu Erthal. Von 1779
bis 1795, Fürstbischof zu Bamberg und Würzburg und in Franken Herzog. Eine vaterländische Geschichte, verfaßt von G. M.
Sprenke, Würzburg bei Rieger 1826. Obgleich das Buch großentheils aus Deklamationen gegen den modernen Zeitgeist besteht,
enthält es manches Wichtige, besonders aus den Handschriften des
Legationsraths von Scharold.

das Hofraths-Kollegium an, der die Säumigen zur
besseren Amtsthätigkeit geißelte, aber in unbestimmten
Ausdrücken, so daß der diensteifrige Theil der Räthe
sich dadurch gekränkt fühlte, und durch Gegenvorstellun-
gen zu bewirken suchte, daß die Säumigen oder Unfähigen, welche nur um der Geburt, des Ranges oder
Einkommens wegen unter der vorigen Regierung zu
Hof- und Regierungs-Räthen gestempelt wurden, besonders bezeichnet, von den funktionirenden Räthen getrennt [1]), die Theilung unter Adeliche und Gelehrte
aufgehoben, und Erstere in Titular-Hofräthe ohne
Sitz und Stimme verwandelt wurden. Franz Ludwig
ging darauf nicht ein, weil er es mit den Adelichen
nicht ganz verderben, vielmehr jeden persönlich kennen
und seine Fähigkeit prüfen wollte dadurch, daß der
Ordnung nach jeder täglich vor ihm erscheinen und
sein Referat vortragen mußte. Hier war es, wo der
Vater des Staats sich im Stande sah, die Spreu vom
Waizen zu sichten, und die kennen zu lernen, welche
sich ihre Referate durch Advokaten fertigen ließen. Der
angebliche Widerruf war also nur eine feine Wendung
des schonenden Fürsten, welcher zwar die verdiente
Ehrenerklärung an den besseren Theil seiner Räthe ab-
gab, aber dennoch auf das, was man eigentlich bezweckte, nicht einging — die Aufhebung der Adelichen-
und Gelehrten-Bank, d. h. eigentlich nur der adelichen."

Diese Angelegenheit wird uns erst recht deutlich

---

1) Meiners nennt als adeliche Hofräthe, die sich auf eine
vortheilhafte Weise auszeichneten, in Würzburg die H. H. von
Groß, von Gebsattel, von Ußra, in Bamberg die H. H. von
Guttenberg und von Stauffenberg.

durch Weihard: „Vorhald war es in Bamberg und Würzburg, wie wahrscheinlich in allen übrigen Stiftern, hergebracht, daß Junge vom Adel, nachdem sie eine zeitlang die Regierung besucht, ohne Beweise von ihren Fähigkeiten und Kenntnissen gegeben zu haben, als Hofräthe eben so gültig votirten, als die Fleißigsten und Tüchtigsten unter den gelehrten Hofräthen. Dieser Brauch schien Franz Ludwig mit zu nachtheiligen Folgen verbunden, als daß er ihn länger fortdauern lassen könne. Adeliche Hofräthe gehen nach wie vor auf die Regierung und arbeiten oder — arbeiten nicht; allein sie werden zu keinem Votum zugelassen, solange sie nicht durch einen Probe-Bericht ihre Tüchtigkeit bewiesen haben. Wenn adeliche Hofräthe sich nicht auf eine ehrenvolle Art (vor ihren andern Standesgenossen) auszeichnen, so dürfen sie auch nie in peinlichen oder in Rechts-Sachen, wo Güter und Einkünfte des Stifts (des Fürsten, des Landes) oder des adelichen Kapitels streitig sind, Bericht erstatten." — Daher der Zahn gegen Franz Ludwig!

Dieser unterschied sich von Kaiser Joseph, mit dessen Regierungs-Grundsätzen die seinigen sonst so manche Aehnlichkeit bieten, dadurch, daß er auf die Verhältnisse, besonders auf diejenigen, welche aus dem Volkscharakter heraus, oder seit Jahrhunderten darein eingewachsen waren, billige Rücksicht nahm. Er wollte die guten Elemente im Adel pflegen und zum gemeinen Besten hegen, ihn nicht dem öffentlichen Dienst durch Schroffheit vollends entfremden. Er hatte allerdings wenig Dank davon. Den obgenannten drei Kollegiatstiftern zu Bamberg entzog Franz Ludwig 1786 die weltliche Gerichtsbarkeit, übertrug sie weltlichen Richtern und ließ auf die Gegenvorstellung der Stifter eine sehr belehrende, abweisende Antwort ertheilen.

Daß Franz Ludwig aus den Rescripten die Worte „gnädigst" und „unterthänigst" auszulassen befahl, erschien einem guten Theile der Bevorrechteten eine Gefährdung der eignen Titulaturen und der daran haftenden Würde.

Nichts gereicht einer großen, freien Nation weniger zum Schaden, als ein an großen Ueberlieferungen und Gütern reicher Adel, der dem Vaterland zur Zeit große Opfer zu bringen im Stande ist und der Charakter hat. Dann wird auch das Vorrecht vom Volke freudig als ein Recht anerkannt. Aber wo die Verhältnisse enge sind, wo der Staat wegen seiner Unbedeutendheit und Schwäche nach außen weder unsere Achtung noch Liebe verdient, wo er nur ein Schuzdach für Familienleben und Eigenthum ist, da wird das Vorrecht des Adels zum Unrecht, weil er selbst es oft nur als ein Mittel des Eigennutzes, des geistigen und leiblichen Müßiggangs und trägen Genußes ansieht und behandelt. Da wird der Hofadel dem gewissenhaften Fürsten und der Regierung, wie dem Volke, zur Last als Schmarozer und Verläumder beider. So gegen unsern Franz Ludwig, weil er sich nicht zum Handlanger und Lohnbedienten der sogenannten adelichen Passionen machen wollte. Der Adel im Militärdienst blieb in der Regel ritterlicher, gedenken wir für Franken nur eines v. Thüngen, des deutschen Helden gegen die Horden Ludwigs XIV. Aber gerade in geistlichen Landen war dazu weniger Raum; die

Wolfskehl und ähnliche Türkenbändiger waren eine
Ausnahme. Die Fürstbischöfe hielten meist viele Ge-
nerale, deren Frauen wohl die Freundinnen jener waren. Dieß war auch bei Franz Ludwigs Bruder, dem
Kurfürsten von Mainz, der Fall.

Es ist wahrhaft lächerlich und erklärt sich nur
aus dem Dunstkreise eines solchen Geschlechtes, daß
von derselben Seite unserem Fürstbischof 30 Jahre nach
seinem Tode der Vorwurf gemacht wurde: „Sein Vor-
fahr hatte in seinem Palaste ein sehr niedliches Theater erbaut; es soll 30,000 fl. gekostet haben. Jener
hatte im Karneval die besten im vorigen Jahr zu
Rom gegebenen Opern von seiner Kapelle aufführen
lassen [1]." Franz Ludwig ließ es abbrechen, unter dem
Vorwande, „daß er eine Sammlung von Naturalien
in dem Lokale anlegen wolle."

Darauf antwortet Sprenke nur mit der Frage:
Wem galt denn jener Opernsaal? dem Publikum?
oder dem Adel und Hofpersonale?

Dazu kommt der Vorwurf, daß Franz Ludwig
öfters offenherzig bekannt habe, Stolz sei seine Haupt-
leidenschaft. Die Absicht seinem Namen Lob und Freunde
zu gewinnen, habe „die Neigung zur stillen, den Pflichten

---

1) Ein vom Fürstbischof eigenhändig unterm 26. August 1774
als decrotum unterzeichneter Theaterzettel mit Ernennung „sämmt-
licher Hof-Virtuosen" zu bestimmten Rollen in der „künftigen
neuen Operetta unter dem Tittul: La Finta Giardiniera" beweist,
mit welcher Geschäftswichtigkeit und Kanzleiform dieses geistlich-
fürstliche Pläsir betrieben wurde, und wie man Allem einen italienischen Firniß zu geben suchte.

57.

seines Berufs geweihten Lebensweise überwunden!" Letzteres will wohl heißen, er sei auch weltlicher Selbstregent gewesen und als solcher thätiger, als es der Brauch war. Den Vorwurf eines gewissen Ehrgeizes wissen wir nicht abzulehnen, er legte keinen Werth auf Schmeichler, aber auf den Beifall rechtschaffener, verständiger Männer; selbst Leibes schreibt ihm Ehrgeiz zu, den „Ehrgeiz der Tugend."

Sprenke faßt seine Antwort in die Worte zusammen: „Adam Friedrich, der Vorgänger, war Adelsfreund, obgleich ihn an den Adel (der großentheils kein inländischer, sondern benachbarter reichsunmittelbarer war) kein Pflichtverhältniß knüpfte; Franz Ludwig war Volksfreund; Gewissens- und Berufspflicht band ihn ja an sein Volk."

„Nebstdem war jener nur gastfrei gegen den Adel und freigebig bis zur Erschöpfung der Kasse gegen denselben, fährt Sprenke indiscreter Weise fort. Unter ihm regnete es Dekrete zu Gunsten junger Sprößlinge aus den Adelsfamilien, so daß der brave General von Ambotten ein solches mit dem Lieutenants-Dekret ihm zugewiesenes edles Muttersöhnchen mit den Worten Cicero's an Dolabella fragte: Frater, quis te alligavit huic gladio? (Brüderchen, wer hat dich doch an dieses Schwert gebunden)? — Franz Ludwig freilich hatte den Grundsatz: Besoldungen auf die Staatskasse Solchen anweisen, die dem Staat nicht dienen, heiße die Staatskasse bestehlen; er hielt seinen Hof nicht müßigen Schmausern offen, um sich durch die Menge verzehrter Summen mehr fürstliches Ansehen zu geben."

Auf diesen schmarotzenden Adel will Sprenke das siebende

Wort beschränkt wissen: „Franz Ludwig fand mehr Bewunderung, sein Vorfahrer mehr Liebe."

Franz Ludwig gab allerdings diesen Edeln noch manchen Stoff des Mißvergnügens. Seine Leibgarde, die zudem nicht einmal die Schloßwache hielt, mußte zu Fuß aufziehen, da ihre Pferde unnöthiger Luxus waren. Bei seinem Regierungsantritt waren beinahe so viele Offiziere als Soldaten da, unter jenen aber viele adelliche Knaben. Er pflegte dafür ein Reserv- und Landwehr-Institut ohne Werbung mit Handgeld.

Ueberdieß, wir müssen es gestehen, verletzte er schwer noch andere vornehme Passionen. Ob er gleich früher gerne in Gesellschaft geistreicher Damen verkehrt hatte, gab er Damen von Familie und Stand allerlei Stoff zu mißliebigen Gesprächen. Vorfahrer hatte goldne Groschen schlagen lassen, um am Spieltisch gewinnende Damen damit auszuzahlen [1]). Franz Ludwig sparte das Geld und noch mehr die Zeit zu sehr.

In den geistlichen Fürstenthümern — auch in einigen weltlichen — war es gewöhnlich der Fall, daß der Nachfolger ein Widerspiel des Vorgängers war. Franz Ludwigs Vorgänger, Adam Friedrich von Seinsheim, war ein großer Jagdliebhaber [2]), und obgleich die

1) So viel ich mich erinnere, hat der historische Verein in Würzburg solche gemunzte goldne Groschen und Sechspfennige, womit edlere Fürstbischöfe gegen silberne oder geringere ihren Einsatz machten.

2) Ein Vorfahrer in den Fürstbisthümern Bamberg-Würzburg, Karl Friedrich, hatte 13. Dezember 1741 seinem Agenten in Rom geschrieben, er solle gelegentlich durch Erzählung folgender Angaben den italienischen Fürsten und den Würdenträgern

Staatskasse viel für Wildschaden — Manchen zu
viel — zahlte, verarmten die Gemeinden in der Nähe
....

der Kirche einen Begriff von seiner Macht und von der Größe
seines Landes beibringen. Er habe auf seinen geistlichen und weltlichen Visitationsreisen sich auch mit der Jagd vergnügt. Da
seien denn in weniger als drei Monaten über 300 Wildschweine,
200 Rehe, 3500 Haasen, nebst vielen Füchsen, Hühnern und
Schnepfen geschossen worden; und würden bis Lichtmeß wahrschein-
scheinlich noch 300 Schweine und mehr als 1000 Haasen geschossen werden. Dabei habe er aber noch nicht den zehnten Theil
seines Fürstenthums bereist und seien seine Jagdbezirke so abgetheilt, daß er nur alle vier Jahre denselben Ort zu besuchen
brauche. Damit solle sein Agent den Wälschen zeigen, mit welchem Unrechte die römische Kurie einem Fürsten von solcher Macht
den Titel: Hoheit und wirklicher Souveränität verweigere. — Mag
es auch ein wenig aufgeschnitten seyn, nach Jägerart, so scheint
es doch, daß unter diesem Krummstaabe besonders die Wildschweine
gut wohnen hatten. Der geistliche Landesvater versichert allerdings nebenbei, daß er das Volk in guter Ordnung und ziemli-
chem Wohlstand gefunden. Die erste, eigentlich große Jagdver-
gnügung im Würzburgischen, mit Betheiligung eines Kirchenfürsten,
und zwar vier Tage nach einander, fand Statt, im Dezember 1712
zu Ehren der Jubelfeier des Churfürsten Lothar Franz von Schönborn, als DomCapitulars in Würzburg. — Das schauerliche Vergnügen, Herden von getriebenem Wilde in den reißenden Flusse zu
jagen und hier aus sicherem Stande niederzuschießen, wurde erstmals 1725 zu Ehren und unter Mitwirkung einer Dame, der
Schwester des Kaisers, bei der Brücke der geistlichen Residenz im
Großen praktil! — Das gehörte damals zur Erweisung der fürstlichen Souveränität, und zum guten Französisch-Deutschen Geschmack; und nie wurde die hohe Rohheit des Mittelalters ärger
verachtet, als von diesem Geschlecht!

Diese beiden Fürstbischöfe gehörten durchaus nicht zu den
Schlimmsten; aber wenn ein Zeitalter der Rechte aller Menschen
vergißt, so werden auch die privatim besseren Machthaber durch

der Waldungen, mehrere kamen dadurch, viele Bürger durch diese Veranlassung zu Saufen und Müssiggang, an den Bettelstab. Er hatte 1770 das Mandat von 1720 wieder eingeschärft und erweitert, wornach es dem Jäger erlaubt war, auf geschwärzte oder sonst vermummte Wilddiebe sogleich zu schießen; er sollte die Verwundung oder Tödtung solcher nur sofort dem nächsten Centamt anzeigen. Zu den schändlichsten Angebereien veranlaßte die troß der zerrütteten Finanzen versprochene Belohnung von 50 Gulden für Anzeige eines Wildfrevlers. Kein Wunder, daß in beiden Erzstiftern ein solcher Zudrang zur Auswanderung, besonders nach Amerika und Ungarn war, daß die Regierung dieselbe an ihre Bewilligung knüpfte, und an die Reichs-, besonders die Hansestädte bei dem Kaiser ein Verbot auswirkte, dieser Neigung Handreichung zu thun.

Franz Ludwig schaffte diesen Wildstand ab, und zwar aus dem Grundsatze, kein persönliches Vergnügen mit dem Schaden seiner Unterthanen zu suchen. Er und die Jäger waren sich gegenseitig nicht hold. Er ließ jedoch das Wild nicht ausrotten, sondern mit großen Kosten in den Parken zu Gramschaß und Guttenberg einzäunen. Er that dieß schon aus Rücksicht auf seinen Nachfolger, der an der Jagd Freude haben möchte, indem er überzeugt war, daß es nach seiner Regierung unmöglich wäre, daß sie wieder zu einer Landplage werde.

Die Preise der an den Waldungen gelegenen

---

die der menschlichen Natur so gefährliche Schamlosigkeit zu Schlechtigkeiten verführet.

Feldgüter und Markungen stiegen nun über alle Begriffe. Der Pfarrer v. Hesselbach sagte, daß ein Bauern-
gut, das früher kaum einige hundert Gulden werth
war und nicht einmal dafür verkauft werden konnte,
einige Jahre nach Ausrottung des Wildes außerhalb
der Parke für 5000 fl. verkauft worden sey. In vielen Gemeinden hatte sich binnen 6 Jahren der Werth
des Grundeigenthumes verdreifacht.

8) Das Beamtenthum und der Staatsdienst.

Ein starker Wildstand und eine schöne Schulden-
last war jedoch nicht das Einzige, was er von seinem
prachtliebenden Vorfahrer antrat. Wir sagen nichts
von den 200,000 fl. baar, von der prächtigen Garderobe und von den Edelsteinen von großem Werth,
welche dieser hinterließ, ob er gleich seiner Familie jährlich 15,000 fl. soll zugeleitet haben. Adam Friedrich
hatte sich, soweit es seinen vornehmen Passionen nicht im
Wege stand, bemüht, Handel und Gewerbe zu heben,
er galt bei den Freunden der Aufklärung für einen
„Menschenfreund." Schon vor seiner Zeit, ein hal-
bes Jahrhundert vor Franz Ludwig, war eine Kommission zu Vorschlägen Behufs besserer Verwaltung und
Anregung der Betriebsamkeit im Lande niedergesetzt [1]),
worüber wohl bald Herr Professor Denzinger, der

---

1) Besonders war dieß geschehen, als zwei der Grafen von
Schönborn, welche damals ein halb Dutzend der größten geistlichen Länder als Wahlfürsten regierten, Johann Philipp Franz
1719 und Friedrich Karl 1729, sein Bruder, Fürstbischöfe auch
in Würzburg wurden. Franz Ludwig v. Fichtel entwarf eines der
wichtigsten Gutachten zu ihren Handen.

verdiente Vorstand der historischen Gesellschaft zu Würzburg, das Nähere zu Tage fördern wird. Sofort mit
dem Ende des 7jährigen Kriegs hatte der fränkische
Kreis — ein Weltwunder! — über gemeinsame
Pläne zu Anlegung von Landstraßen sich vereinigt und
diese waren namentlich in den beiden Fürstbisthümern
trefflich angelegt worden. Daß diese Arbeit auf Kosten des ganzen Landes geschah, galt schon für einen
Fortschritt. Durch Belehrung und Befehl hatte Adam
Friedrich eine Brandversicherungskasse errichtet, während bisher den Abgebrannten nur eine Erlaubniß zum
Kollektiren ausgestellt worden war. Dadurch hatten
sie aber selten genug zu einem Neubau ersammelt, viel
Zeit verloren, sich ans betteln gewöhnt und waren
dann oft den Gemeinden als lebenslängliche Bettler
zur Last gefallen. Auch waren — denn die geistlichen
Fürsten konnten dieß mit weniger Umständen anord-
nen, als die katholischen weltlichen — überflüssige Feier-
tage abgeschafft und alle Kirchweihen auf den Einen
Sonntag nach St. Martin verlegt worden. Ein Schul-
lehrer-Seminar und eine Pensionskasse für die Witt-
wen und Waisen der nicht adelichen Staatsdiener war
schon von Adam Friedrich errichtet. — Während Letztere beinahe die ganze Last und Arbeit der Staats-
maschine zu tragen hatten, waren sie meist schlecht be-
soldet und durch ihren Tod die Ihrigen oft in die
bitterste Noth versetzt gewesen.

Meiners schreibt 1792: „Die Oberamtleute im
Stifte Würzburg, junge Adeliche, welche nach kurzem
Besuch der Regierung auf diese Posten befördert wor-
den waren, hatten früher das Recht, ohne Zuziehung

ihrer nicht adelichen Amtskeller (studirten Aktuare und Finanzbeamten) Gericht zu halten. Mit Ausnahme des verdienten Herrn von Reigersberg besitzen sie jetzt aber nach einer Verordnung Franz Ludwigs blos noch concurrentem justitiam mit ihren bürgerlichen Amtskellern, (d. h. sie liefen nur neben diesen her in der Amtsführung). Weil die (adelichen) Oberamtleute sich durch diese Verfügung gekränkt glauben, so entziehen sie sich lieber allen Arbeiten und verzehren die Einkünfte ihrer Stellen entweder auf ihren Gütern oder in der Hauptstadt [1]." Dieses fiel nicht sehr auf. Schon im Anfang des Jahrhunderts hatte der Fürstbischof bei Gelegenheit einer Theurung den adelichen Amtleuten befehlen müssen, sich auf ihren Amtsitzen aufzuhalten. Die Namen der höheren Beamten unter Franz Ludwig sind bürgerlich und erst durch Baiern geadelt.

Im Anfang seines Regiments ließ Franz Ludwig die sämmtlichen Landämter visitiren; in Folge dessen wurden sieben Landbeamte abgeschafft, ihren Weibern und Kindern reichte er aber Pensionen, da — die Aemter früher gekauft worden waren.

Wie Franz Ludwig tüchtige Lehrer und Beamte sich heranzog, und ihren Aemtern die entsprechende Selbstständigkeit gab, so wußte er sie auch mit der größten Unparteilichkeit und Scharfblick an die rechte Stelle zu setzen. In den kleinen, besonders geistlichen

---

1) Aehnliches hat sich bekanntlich in weltlichen Fürstenlanden am längsten in Hannover erhalten, und gehört dort zu der immer wieder in Aussicht gestellten „guten alten Zeit."

landen war beinahe jeder Studierende und Studierter von der Schule aus, es waren alle seine Jugendstreiche dem Regenten bekannt. Dieß artete sonst oft in eine Frau-Baserei und Zuträgerei, auch in Parteilichkeit aus.

Leibes spricht: „Franz Ludwig wußte den Grund der Anhänglichkeit an ihn und an seine Grundsätze schon bei seinen Dienstbegebungen zu legen. Er behandelte sie zwar in seinem Herzen als eine Gerechtigkeitssache und war nach allen genauen Erforschungen oft noch ängstlich, den Staat durch eine unglückliche Wahl zu beschädigen. Aber bei alle dem verstand er die Kunst seiner getroffnen Wahl im Aeußeren das Ansehn der Gnade und Willkür zu geben. Es war ihm darum zu thun, den Mann, den er ausersehen hatte, durch eine Wohlthat an sich zu fesseln und dadurch seinen Anspruch auf Fleiß und rechtliches Verhalten zu verstärken." —

Eben so sehr mit seiner Gewissenhaftigkeit als mit Ehrgefühl oder Ehrgeiz hing es zusammen, daß er nicht einmal den Schein eines auf ihn geübten Einflusses duldete. Ob er gleich die Ueberzeugung hatte, daß ein Regent nicht beleidigt werden könne, wenn nicht in seiner Person dem Staat Beleidigung oder Schaden, wenigstens nach gegründeter Wahrscheinlichkeit, geschehe, so war er doch in diesem Punkte empfindlich. „Ueberzeugen lasse ich mich gerne, sagte er, von Jedermann, aber stimmen, wie es gewöhnlich genommen wird, in keiner Sache und von keinem Menschen, wer es auch immer sei. Das Stimmen deutet ein Leiden von Seite des Gestimmten an und setzt bei ihm

entweder eine Schwäche des Geistes oder einen großen
Mangel der Kenntnisse der Sache voraus, wovon die
Rede ist."

Franz Ludwig lebte im Zeitalter der Selbstregierung, er machte sie sich nicht zum Lotterkissen, sondern
zum Stachel des gewissenhaften Forschens und des Fleis-
ses. Weder mit Bitten noch mit Beschwerden ließ er
sich, auch nicht durch seinen Beichtvater influenciren, sondern wies solche Versuche rügend auf den Instanzenweg.

Der Beamte, mit welchem lange Jahre diese Dinge
besorgt wurden, Kanzler Wagner, macht folgende ein-
schlagende Bemerkung: „Empfehlungen vertrug er
von keinem Menschen, seine vertrautesten Räthe würden dadurch alles Vertrauen verloren haben. Dienst-
besetzungen waren daher eine seiner beschwerlichsten
Arbeiten. Nicht als wenn er sich nicht freute durch
Anstellungen Personen und ganze Familien glücklich gemacht zu haben; er empfand dieses innerliche Vergnügen gar wohl. Es scheint aber, es war Furcht vor
einem Mißgriff. Verantwortlichkeit vor Gott war immer
das Schreckbild, das ihm vorschwebte; denn kein Mensch
muß einen kräftigeren Willen gehabt haben als er, nur
das zu thun, was recht und vollkommen gut ist. Die
Ernennungen schob er öfters lange hinaus. Nie war
er daher aber heiterer, als wenn eine Anzahl neuer
Ernennungen unterschrieben, die Last vom Herzen war,
und er Viele glücklich gemacht hatte.

Auf den erledigten Landesämtern stellte er meistens
nur Administratoren (Amtsverweser) an, um ihre Fähigkeit zu prüfen. Er kam aber später davon zurück, da
sie nur das bearbeiteten, wovon sie Sporteln zogen.

Bernhard, Franz Ludwig. 5

Alles Polizei-, Erziehungs-, Armen-Wesen dagegen ließen die Herren liegen."

Einst erschien um eine Land-Beamtenstelle eine Menge Bewerber, die ausgesuchtesten, feinsten, auf seine schwachen und starken Seiten berechneten Schmeicheleien und Empfehlungen wurden verschwendet. Während nun solche Bittschriften in der Regel sehr ceremoniös waren, ging dabei auch folgende von einem Rechtspraktikanten ein:

"Gnädigster Herr!

Gegenwärtiger Supplikant bittet gehorsamst um das erledigte Amt zu N.

Ob er fähig dazu sey, dafür bürge seine akademische Laufbahn und mehrjährige Amtspraxis. Ob diese Stelle ihm, seiner Moralität, anzuvertrauen sey, dieß werden Diejenigen, unter welchen er seither lebte und wirkte, bezeugen."

Vor der Prüfungs-Kommission gut bestanden, erhielt er die Stelle und der Fürst hatte einen guten Beamten gewonnen.

Franz Ludwig verlangte, so gut als der große Friedrich, Einsicht in alle zu erledigenden Staatsgeschäfte, er hielt sehr darauf, als Selbstregent zu erscheinen, wie es zu seyn, er suchte seine Beamten mit seinen Grundsätzen zu durchbringen und zu überzeugen, und sie in sein Interesse zu ziehen. Aber darum schloß er ihre selbstthätigste Mitwirkung nicht aus, bewies ihren Vorträgen Achtung und trug die Ehre mancher eignen Erfindung und Einrichtung auf sie über, um ihren Eifer für die Handhabung derselben desto mehr anzufachen.

Die Hauptsache aber ist, daß allen Anzeichen nach

Franz Ludwig, den damals herrschenden Aemterkauf abschaffte. Durch diese gefährliche Art eine Kaution von den Beamten zu verlangen, wurde gerade zum Gegentheil, zu Unterschleif und Uebervortheilung der Unterthanen Veranlassung gegeben [1]. Schon zu Anfang des Jahrhunderts waren auch bei Gelegenheit einer Theurung von Johann Philipp II. die Würzburgischen Ober- und Unterbeamten ernstlich verwarnt, die Unterthanen nicht zu belästigen und ihnen die Verpflichtung zugeschoben, allenfalsige Ansprüche an Amtsuntergebene genau nachzuweisen, während nach dem sonst herrschenden sogenannten Deutschen Recht dem gemeinen Mann der Beweis oblag, daß er streitige Lasten nicht schulde. Der Adel besonders hatte sich, begünstigt durch die Vernichtung der alten Urkunden in und nach dem Bauernkrieg durch beide Parteien, diese Regel sehr zu Nutz gemacht.

Im Würzburgischen war seit unvordenklichen Zeiten die Sitte, daß die Amtleute oder sogenannten Amtskeller von ihren Amtsuntergebenen „Bittfrohnen" forderten, oder sie auf eine solche Weise darum ersuchten, daß die Bauern sie nicht wohl abschlagen konnten. Diese Bittfrohnen wurden jetzt streng verboten und wenn eine Entschädigung für solche Handdienste aus der fürstlichen Kammer verlangt werden wollte, so

---

[1] Die Käuflichkeit der Aemter herrschte unter verschiedenen Formen, meist mehr zum Nutzen der fürstlichen Schatulle, als der Staatskasse, damals in bei weitem den meisten deutschen Landen, außer in Preußen. Der große Fritz hatte den Beamten gegenüber den Grundsatz, sie schlecht zu bezahlen, dafür aber sie — streng arbeiten zu lassen, und scharf unter dem Daumen zu halten.

hatte: der Beamte, der sie ansprach, sein Recht darauf zu beweisen.

Wir sehen, Franz Ludwig war kein Liebhaber des romantisch patriarchalischen Systems, das oft nur sehr einseitig geübt wird und dessen ganze Weisheit der gemeine Mann oft nicht unrichtig in die Worte zusammenfaßt: „Wer gut schmiert, der fährt auch gut", oder: Schmieren und salben hilft allenthalben. —

Er erließ auch eine Verordnung, welche bezweckte, „Unsere guten und getreuen Unterthanen gegen den Druck einer übermässigen Sportelsucht, und Unsere Beamte gegen ungegründete, ihrer amtlichen Ehre und Ruhe nachtheilige Klagen zu sichern [1])." Gewissenhaft gegen das Eigenthum des Einzelnen, war es Franz Ludwig um so mehr gegen das Eigenthum des Staates; er hielt es für das Gesammteigenthum seines Volkes, sich aber für den von der Vorsehung verordneten Verwalter desselben. Laut und entschieden erklärte er dieses bei folgender Veranlassung: Ein Beamter, dem die

---

1) In dieser Verordnung von Bamberg 25. April 1793 heißt es: „Sollte bei irgend einer Unsrer Stellen über tarwidrig erhobene Gebühren in der Folge Klagen von einem Unterthan erhoben werden, so verordnen Wir, daß nicht der die Beschwerde führende Unterthan den Beweis, der über die gesetzliche Gebühr erhobenen Sporteln, sondern der diese unsere Verordnung übertretende, und die Aufzeichnung der Amtsgebühren unterlassende fürstliche Beamte, als derjenige Theil, der die Vermuthung alsdann gegen sich hat, den Beweis, daß er in Erhebung der Sporteln in den gesetzlichen Schranken geblieben sei, zu führen habe, Uns aber, wenn derselbe mit der Beweisführung nicht aufkommen würde, hievon die Anzeige in allen einzelnen Fällen zu machen sei."

Verwaltung gewisser, der Staatskasse angehöriger Gelder anvertraut war, hatte sich manche Vortheile zum Nachtheile der Staatskasse anzueignen, und sie bei der Stellung der Rechnungen zu verdecken gewußt, leichtsinnig gemacht unter des vorigen Fürsten liberaler Regierung, wo das Sprüchwort galt: Hofhaltung ist keine Haushaltung. Er wurde durch seines dermaligen Fürsten strenge Grundsätze aufgeregt, ging mit seinem Beichtvater zu Rathe; dieser erkannte ihm die Pflicht der Wiedererstattung zu, um so mehr, da eine eingetretene schwere Krankheit, die entweder den Tod, oder Dienstunfähigkeit zur Folge haben mußte, es ihm unmöglich machen könnte, auf dem Wege der theilweisen geheimen Vergütung, dieser Verbindlichkeit sich zu entledigen. Man verfiel auf den Gedanken, den guten menschenfreundlichen Fürsten, der so Vieles für arme Familien that, durch den Beichtvater, unter einem erdichteten Namen, anzuflehen, aus landesherrlicher Machtvollkommenheit das Schuldige zu erlassen. Um der Gewissensruhe des Kranken, der bald darauf zur Grabesruhe ging, um des ängstlichen Flehens der bekümmerten Gattin und einer der Verarmung entgegensehenden Familie willen, entschloß sich der theilnehmende Seelsorger, obwohl ungern, zur Uebernahme des kitzlichen Auftrags. Mit gespannter Aufmerksamkeit hörte der Fürst den Vorträger und fragte dann gelassen: „Also mir, als Landesfürsten, gilt Ihr Vortrag? Ich soll aus landesherrlicher Machtvollkommenheit eine dem Landesärar schuldige Restitutionssumme erlassen, um die Familie eines Defraudanten vor Verarmung zu schützen? Dieses kann etwa nach Ihrer und Ihres

Patienten Absicht, keineswegs aber nach der meinigen
geschehen. Kann der Kranke das widerrechtlich sich
Zugeeignete ersetzen, so muß er es; denn Sie kennen
als Beichtvater die katholischen Grundsätze hierüber:
Die Sünde kann nur nach wiedererstattetem ungerech-
tem Gute erlassen werden. Nur der Eigenthümer kann
die ihm schuldige Summe nachlassen, dieser bin ich
nicht. Als Landesfürst bin ich nicht der Eigenthümer, sondern der Verwalter der öffentlichen Gelder; es sind die Blutpfennige
meiner Unterthanen, mit dem Schweiße manches arbeitsamen und darbenden Bürgers
befeuchtet, der sie willig seinem Staatsoberhaupte
zur gewissenhaften Verwendung für das Gemeinwohl
anvertraut [1]). Wehe mir dann, wenn ich sie an Unwürdige vergeudete! Unwürdig aber ist jeder, der die
ihm anvertrauten Gelder veruntreut. Dafür bin ich
dem Weltenrichter, dem auch die Fürsten Rede stehen
müssen, verantwortlich."

In diesem Tone hielt er dem verblüfften Beichtvater gewissermaßen eine Strafrede, denn er sagte
noch am Ende bei, daß er es allen seinen Amtsgenos-
sen mittheilen möge, damit er fernerhin mit solchen
Zumuthungen verschont bleibe.

Des Fürsten Gewissenhaftigkeit in diesem Punkte
wirkte aber auch ebenso auf seine Beamten zurück, wovon gleichfalls ein Beispiel als Zeugniß dienen möge:

---

1) Also gerade das Gegentheil von dem l'etat c'est moi, welches nicht bloß die gleichzeitigen Affen Ludwigs XIV. und XV. sich
so gar sehr persönlich zu Nutz machten.

Um das Jahr 1784 starb der Vorstand der Lan-
deshauptkasse und Hofkammer-Zahlmeister, Adam Schirmer. Er hatte noch einen bedeutenden Ueberschuß in der
Kasse gefunden, ohne die Quelle entdecken zu können,
wo er herkam. Er sperrte sich mehrere Tage in seinem Amtszimmer ein, den Grund dieses Geldvorraths
und wo derselbe hingehöre, zu entdecken. Vergebens,
nach mehrtägigem Forschen, während welchem sich der
mehr als sechzigjährige Mann die nöthige Ruhe versagte, wurde er erschöpft in einer Sänfte nach Hause
getragen. Während seiner Krankheit trug er seiner
Gattin in Gegenwart eines seiner Amtsgehülfen auf,
nach seinem Tode auf die genaue Durchsicht seiner
Rechnungen zu bringen, die etwa sich ergebenden Rück-
stände aus der in seinem Amtszimmer befindlichen Kasse
zu decken und dann den sich noch findenden Ueberschuß
schlechterdings nicht für sich zu behalten, sondern dem
Landesfürsten als Kassenüberschuß zu behändigen. Er
sei überzeugt, daß er von seinen und ihren (der Ehe-
frau) Geldern keines in die Amtskasse, sowie von der
Amtskasse keines zu seiner Privatkasse herübergezogen
habe. Was also in der Kasse, nach Durchsicht der
Rechnungen sich noch vorfinde, gehöre dem Aerar, nicht
seiner Verlassenschaft an. —

Schirmer starb, seine Rechnungen wurden durch
eine eigene, vom Fürsten ernannte Kommission geprüft,
richtig befunden und siehe! es fand sich dennoch ein Ueberschuß von 1500 fl. in der Kasse. Die Wittwe nahm
ihn nach ihres verstorbenen Ehegatten Anweisung und
schickte ihn auf einem Karren, sammt Sortenzettel, dem
Fürsten zu, als Kassenüberschuß, den ihr Mann ihr

verboten habe, sich zuzueignen. Von dieser Ehrlichkeit gerührt, nahm Franz Ludwig den Sortenzettel, übergab ihn den in der Sitzung versammelten Hofkammerräthen mit der Aeußerung: „Sehen Sie, meine Herren, ein Beispiel eines grundehrlichen Staatsdieners! Und dennoch, so ehrlich Schirmer war, so ist seine Wittwe doch noch ehrlicher. Wer hätte es ihr wehren können, wenn sie diesen Ueberschuß als ihr Eigenthum behalten hätte? Behalten wir dieser Ehrenfamilie ein ehrenvolles Andenken auf!"

9) Justizpflege.

Gleich in der ersten Regierungszeit Franz Ludwigs erschien eine Wittwe mit einigen Kindern zur Seite, stellte sich auf in dem Gange, wo der Fürst aus der Hofkapelle frühe, nach verrichteter Morgenandacht, in sein Geschäftszimmer zurückzugehen pflegte. Als sie sich, eine Schrift in der Hand, näherte, glaubte er, sie wolle Almosen oder Unterstützung für ihre bei sich habenden Kinder, sagte ihr deßwegen gleich: Wenn Sie Almosen oder Unterstützung verlangen will, so muß Sie Ihre Schrift bei der Ober-Armenkommission einreichen, dort wohne ich wöchentlich den Sitzungen bei: Hier, da kann ich nichts für Sie thun. — Nein, gnädigster Herr! erwiederte die Frau, nicht um eine Gnade, sondern um Gerechtigkeit flehe ich. Fest stand der Fürst, mit unverwandtem Adlerauge auf der Sprecherin haftend. „Schon vor mehreren Jahren, fuhr sie fort, hat man mich, unter dem Vorwande einer angesprochenen Erbschaft, in einen erschöpfenden Prozeß gezogen, mich aus dem Besitzstande meines Grundeigenthums getrieben, unter dem Vorwande, es zum Vortheile des obsiegenden Theiles zu sequestriren. Jahre lang währt der Rechtsstreit schon; er hat meine ganze Habe verschlungen. Man will mich durch Armuth und Noth ermüden, vom Prozeß abzustehen, oder mich durch ein Bruchstück, das man mir aus Gnade zuwerfen will, zum Vergleich nöthigen. Meine gehorsamste Bitte ist also nur um Recht; spricht dieses gegen mich, dann erst sei mir erlaubt, die Gnade meines Landesvaters anzuflehen — nicht für mich, nein: nur für diese Kleinen da, sie auf Rechnung des von Euren Hochfürstlichen Gnaden erst errichteten Armen-Instituts erziehen zu lassen."

Der Fürst nahm die Vorstellungsschrift, schickte sie dem Vorstande der betreffenden Gerichtsbehörde zu, mit der Weisung: binnen 3 Wochen Bericht zu erstatten, 1) über den Gegenstand des Rechtsstreits, 2) über die Zeit, während welcher er anhängig ist, 3) über die Hindernisse, die seine Entscheidung verzögerten.

Der Referent leistete in der bestimmten Zeitfrist den verlangten Bericht, und legte, um sich Ehre zu machen, den ganzen Rechtshandel, bis zum Abschlusse bearbeitet, vor. Der Fürst genehmigte die Verhandlung, sowie das entworfene Urtheil — bis auf die Verurtheilung in die Unkosten, welche dem Kläger ganz zugeschoben waren. Dieser Theil des Urtheils wurde blos auf das erste Streitjahr beschränkt; für die folgenden Jahre verurtheilte der Fürst den Referenten, sowohl die Beklagte für ihre jahrelangen Entbehrungen zu entschädigen, als die ferneren aus dieser Jugerung entstandenen Kosten zu vergüten, unter den ersten Worten:

„Sie haben auf meinen Befehl diesen Rechtshandel in so kurzer Zeit exact beendigt, hätten Sie dieß nicht ohne mich ex officio thun sollen? Gewissen und Amtspflichten müssen einem Justizbeamten mehr, als ein Cabinetts-Befehl gelten." — Unverrückt blieb er beim fürstlichen Ausspruche, ohne daß weder die Vorstellungen und Entschuldigungen des Rathes, noch die Fürsprache des für diesen Ehrenmann sich verwendenden Präsidenten etwas erwirkten. Der Rath gerieth darüber in die Nothwendigkeit, sein in der Stadt besessenes Haus zu verkaufen, um diese Ausgabe zu decken.

Es wurde jetzt verfügt, daß jeder Justizrath sein Referat über den ihm zugetheilten Rechtshandel dem Fürsten vorzulegen habe, durch dessen Unterschrift das abgefaßte Urtheil erst Rechtskraft erhielt. Mochte auch manchmal dadurch eine kurze Verzögerung entstehen, zumal da der Fürst bald im Sitze des einen, bald des andern Hofstiftes sich aufzuhalten hatte, so diente es im Ganzen gewiß nicht nur zur Unparteilichkeit und Gründlichkeit, sondern auch zur Beschleunigung der Rechtspflege.

Wie wenig eine solche Aufsicht über die Entscheidungen der Gerichte überflüssig war, erhellt aus Folgendem:

Die strengste und besonders unparteiliche Justiz that sehr noth, denn die Rechtspflege war in einem großen Theil von Franken, diesen theils unmittelbar ritterschaftlichen, theils kirchlich aristokratischen Landen eine ächt romantisch-patriarchalische; es kam weniger darauf an, was Einer gethan hatte, als wer er war, welchem Stande er angehörte. Der für jene Zeiten, welche er wenigstens noch aus dem Munde seines Vaters kannte, schwärmende Sprenke erzählt: „Ein adelicher Jüngling stach auf offener Gasse eines fränkischen Landstädtchens einen bemittelten Bürgersohn, dessen Vater damals Bürgermeister des Städtchens war, mit dem Dolche nieder, weil dieser sich erfrecht hatte, dem Herrn Baron ein Pferd auszukaufen, das der Eigenthümer lieber gegen baar Geld einem Bürgerlichen, als auf Borg einem Edelmann hatte geben wollen. Die damalige Kriminalbehörde bemächtigte sich zwar des Mörders, lieferte ihn ein: und er wurde — angeblich — auf eine Festung gebracht."

„Bald darauf kam die Kunde ins Publikum, der Verhaftete habe sich zur Nachtzeit von der Festungsmauer herabgelassen, und sei entflohen. Die Nachricht, daß dieser Vorgang viel Lärmen und Aufsehen im Publikum erregte, fertigte man in einer adelichen Versammlung mit der Aeußerung ab: Was ist es Großes, wenn eine Edelman einen Bauernjungen todt sticht? — Eben nicht mehr, als wenn unser Jäger einen alten Hühnerhund niederschießt [1])." — Soweit Sprenke. Diese alte gute Zeit hat wenigstens seit Franz Ludwigs Regierungsantritt bis jetzt eine Lücke bekommen.

Schon während seines ersten Regierungsjahres gab ein nichtadelicher Offizier, Oberlieutenant Fischer, einem

1) Ob Letzteres wirklich ausgesprochen wurde? nach dem Sinne Mancher mochte es wohl seyn.

abelichen Kameraden auf eine spitze Rede eine gleiche Antwort. Als der Bürgerliche sich auf dem Heimwege nichts Bösen versah, durchstach der Abeliche ihn auf offener Straße menchlings mit den Worten: Du mußt wissen, daß sich kein Abelicher ungerochen von einem Bürgerlichen beleidigen läßt [1].

1) Aus der Zeit, nachdem der tolle Bauernaufstand 1524 niedergetreten war und die gesetzlichen Gewalten wieder in aller Macht sich fühlten, erzählt die Würzburger Chronik Folgendes: Um diese Zeit war zu Würzburg ein junger Domherr (Mitglied des Domkapitels) Christoph, Graf und Herr zu Henneberg, gar übermüthigen und heftigen Gemüths. Er war sehr geneigt zu Raufereien mit den Bürgern und hatte deren schon am hellen Tage, einmal mit Mehreren in der Judengasse, eine andere mit Valentin Kulwein am Markte vor der Greten, angefangen. Am Sonntage nach Dreikönig (7. Jan.) 1532 begegnete er mit einem Knechte in der Nacht zwischen 9 und 10 Uhr auf dem Markte einigen Schaarwächtern. Er zog sein Schwert und da sie ihn fragten, was er denn vorhabe, stürmte er gegen sie los. Die Wächter erkannten ihn nun und suchten ihn mit guten Worten zu beschwichtigen und von sich abzuwenden. Der Graf sagte ihnen dieß auch zu und steckte, obwohl unter heftigem Fluchen, sein Schwert wieder ein. Die Wächter glaubten ihn nun zufrieden gestellt und gingen ihren Weg weiter fort, den Markt hinab gegen den Grafeneckhartsthurm, da kam ihnen plötzlich der Graf nachgerennt und führte mit seinem Schwerte gegen einen von ihnen, Namens Meißner, einen solchen Streich in den Hals, daß dieser todt niederstürzte. Am andern Morgen mochte doch dem Grafen unheimlich geworden seyn, denn er hatte sich stille aus der Stadt entfernt. Bischof Conrad ließ, auf gemachte Anzeige, sogleich sein im Katzenwicker zurückgebliebenes Eigenthum verzeichnen, vom geistlichen Gerichte eine Untersuchung gegen ihn wegen Todtschlags einleiten und auf Einziehung seiner Präbende antragen. Zwar erwirkte der Graf ein ihm günstiges Rescript von Rom an das

Franz Ludwig ließ den um seine Standesehre so
Ungehr Eifernden in das gemeine Zuchthaus sperren, wohin die Verbrecher kamen, welche nach dem alten Recht
das Leben verwirkt hatten. Es wurden alle Mittel
und Wege versucht, ihn zu bewegen, vom Adel die
Schande einer so infamirenden Strafe abzuwenden.
Aber der edle Fürstbischof erklärte, daß wen Geburt
und Erziehung nicht vor entehrenden Verbrechen bewahren, den könne sie auch nicht vor der Strafe derselben schützen. Wer die Achtung und die Vorzüge,
die dem Adel gebühren, ansprechen wolle, müsse sich
auch selbst an Geist und Leben adeln, dürfe sich nicht
durch pöbelhafte Sitte entadeln. — Und dabei blieb
er mit eiserner Gerechtigkeit.

geistliche Gericht, allein dagegen appellirte Bischof Conrad abermals nach Rom und betrieb durch seine Prokuratoren die Sache
dort so eifrig, daß der Graf wirklich seine Präbende in Würzburg verlor. Sogar König Ferdinand, der Bischof von Bamberg
und der Landgraf von Hessen verwendeten sich für den Grafen
um Begnadigung, doch vergebens, Bischof Conrad blieb unerbitt-
lich. Erst nachdem der Graf Absolution und Dispensation von
Rom beigebracht, und sich mit dem Weibe und den Kindern des
Ermordeten mit 200 fl. abgefunden hatte, ließ Bischof Conrad
sich soweit bewegen, daß der Graf auch seine Präbende zu Gunsten eines andern resigniren durfte. Das that er denn am
4. Juni 1529 zu Gunsten des Herrn Christoph von Auffeß. Er
nahm seinen ferneren Aufenthalt in Bamberg, wo er gleichfalls
Domherr war, und im Jahr 1540 sogar zum Domdechanten gewählt wurde. Erst nach Bischof Conrads von Thüngen Tode
wagte es der Graf wieder, sich um eine Domherrenpfründe in
Würzburg zu bewerben. Es gelang ihm auch nach einigen Hin-
dernissen, die des Kilian Fuchs, welcher ebenfalls wegen eines
Todtschlages auf seine Pfründe verzichten mußte, zu erhalten.

Auch das Duell, selbst zwischen Offizieren, behandelte er mit ähnlicher Strenge nach dem Grundsatze: Contraria contrariis curantur, d. h. den falschen point d'honneur müsse man durch gesetzliche Ehrlosigkeit heilen. Die damalige Uebung des Duells hieng aber zusammen mit einem Hauptmerkmal der Deutschheit, mit der Trunkenheit, und glich sehr oft dem Hausfriedensbruch und der Hinterlist, wie ein Ei dem andern. Viele Biographieen der deutschen Kriegsleute des vorigen Jahrhunderts starren von widerlichen Beispielen, sind eine Gallerie von Porkraits berühmter Raufbolde, die vor dem rechten Feinde oft Feiglinge waren. Ein solcher raufberühmter, adelicher, würzburgischer Offizier hatte einen östreichischen im Duell schwer verwundet. Franz Ludwig ließ ihm sofort die Kassation ankündigen; dieser aber suchte, ehe es vor dem Regiment veröffentlicht wurde, in aller Frühe seinen Major in seinem Schlafzimmer auf und forderte ihn. Der Major, halb angekleidet, ließ sich seinen Degen bringen, zerbrach im ersten Gange den Degen des Raufbolds, packte ihn am Kragen, warf ihn zur Thüre hinaus auf die Gasse, und die Bruchstücke des Degens ihm nach, was mehrere Civilisten mit ansahen.

Franz Ludwig ließ Vorarbeiten zu einem neuen Gesetzbuch für peinliche Rechtspflege betreiben [1]), hielt

---

1) Quistorps Entwurf zu einem Gesetzbuche in peinlichen und Straf-Sachen. — Sammlung der hochfürstlich-würzburgischen Landes-Verordnungen, Folio. Der dritte Theil enthält Franz Ludwigs Verordnungen. Er ist gesammelt von Hof- und Regierungsrath Heffner, Würzburg bei Fr. X. 1801.

jedoch vielmehr auf weise, feste Handhabung der Gesetze, als auf vieles Gesetzeln. Er schaffte die Todesstrafe nicht ausdrücklich ab. Im Anfange seiner Regierung wurden zwei Juden hingerichtet, welche einen
Kirchenraub verübt, und dabei die Hostien verunehrt
hatten. Sie wurden wohl katholisch, der Fürstbischof
firmte sie, aber sterben mußten sie. Dieß in mittelal-
terlichem Geist vergoßne Blut scheint auf des Fürstbischofs Gewissen gebrannt zu haben. Dieser Akt charakterisirt den Geist seiner ersten Regierungszeit. Göll
erzählt gewiß Seuffert folgend: „Nach der unge-
schickten Hinrichtung zweier Tempelräuber beschäftigte
er sich viel mit Schriften über die Aufhebung der Todesstrafe. Als später die Gerichte einen Brudermör-
der zum Tode verurtheilten und Seuffert dieses Urtheil,
für dessen Milderung er keine Gründe wisse, dem Fürsten vorlegte, ließ es dieser eine geraume Zeit ruhen
und übergab es ihm dann zu neuem Berichte. Seuffert wiederholte seine frühere Ansicht; der Fürst entschied auch dießmal nicht. Als darauf Seuffert sich
vermählte, sandte Franz Ludwig ihm seinen Glückwunsch
und am Vermählungstage selbst jenes Urtheil, mit der
heute nur zu verständlichen Frage, ob er jetzt noch bei
seinem Antrage verharre?"

Durch Erziehung, durch Veredlung der Sitten,
durch Trennung der noch nicht ehrlosen Sträflinge
von den Verbrechern, durch Verhinderung der Rückfälle
suchte er die Todesstrafe nach und nach unnöthig zu
machen.

Er verachtete aber um so weniger dem Schaden
zuvorkommende Mittel, und gute Zucht, z. B. erklärte

er alle im Wirthshause gemachte Kontrakte für un-
gültig.

Nicht ohne Grund war die Bamberger Kriminal-
gerichts-Ordnung für ihre Strenge berufen. Sie war
entworfen von Freiherrn Johann dem Tapfern von
Schwarzenberg und Hohenlandsberg, welcher in bambergischen Diensten stand. Sie war unter dem Fürst-
bischofe Georg III., Kaiser Maximilians Vertrauten,
1507 publicirt, dann im fränkischen überhaupt angenommen worden und diente der peinlichen Halsgerichts-
Ordnung Karls V. zur Grundlage. Sie wird oft die
(ältere) Schwester der Karolina genannt.

Von Heß versichert, „von 1769 bis 1779, wo die
peinliche Halsgerichtsordnung noch mit nichts verscho-
nender Strenge geübt wurde, haben 1523 Gefangene
die Kriminal-Gefängnisse Bambergs bewohnt. Von
1779 bis 1789 verminderte sich ihre Zahl auf 765.
Unter den von 1769 bis 1779 verurtheilten Uebelthä-
tern waren 37 blos wegen Diebstahls hingerichtet worden, worunter ein Paar Jünglinge von 16 bis 19
Jahren.“

Ueber die Verbesserungen in der Justizpflege sagt
derselbe: „Jede in einer Sache zu leistende Berichter-
stattung muß ihm in dem vorgeschriebenen Termin bei
unausbleiblicher Ungnade eingesandt werden. Der Fürst
selbst giebt beim Vortrage juristischer Sachen nur seine
Zweifel zu erkennen, er entscheidet hierin nie.“ — Als
Hauptsache hebt auch v. Heß hervor, daß Franz Ludwig mit unerbittlicher Strenge über Befolgung der Gesetze und seiner die Mißbräuche abstellenden Verordnungen wachte. Er mischte sich aber nie, auf eine die

Selbständigkeit der Gerichte gefährdende Weise in die Entscheidung. Das Zeitalter des großen Friedrich hielt die Freiheit der Gerichte für das Palladium des Staats und der Gesellschaft.

10) Die Finanzen.

Die Einnahmen des Hochstifts Würzburg beruhten auf dem 1685 eingeführten System der Einschätzung des steuerbaren Grundeigenthums nach seinem reinen Ertrage. Dieß war die Hauptsteuer. Selbst in Folge der Kriegsumlagen der 1790er Jahre betrug die Accise von Wein, Brantwein, Fleisch und Mehl nur 50,000 fl., wobei zu bemerken, daß der fränkische Gulden 75 Kreuzer rheinisch hatte. Das monatliche Simplum jener Hauptschatzung betrug für das Hochstift Würzburg 1) für die unmittelbar unterthanen Orte 7,010 Gulden 17$\frac{1}{2}$ Batzen, für die mittelbaren 1,252 Gulden 13$\frac{1}{2}$ Batzen. In gewöhnlichen Zeiten, namentlich unter Franz Ludwig wurden jährlich 39$\frac{3}{4}$ solcher Monatssimpeln erhoben; in Folge des französischen Kriegs, aber gegen Ende des Jahrhunderts 80 solche Simpla, also an 800,000 fl. rheinisch. Franz Ludwig hatte Allem aufgeboten, eine Erhöhung zu vermeiden, aber die Last der Weltereignisse war zu stark. Auch nach dem Frieden, bis zur Tilgung der Schulden mußte seitdem auch die Geistlichkeit den zehnten Pfennig bezahlen, was 60,000 fl. eintrug.

Im Bambergischen waren Reallasten (Erb-, Berg-Zinse), Steuern (Vermögens-, Gewerbesteuer, Rauch- und Frohngeld und einige Polizei-Steuern 1). Die

1) Behufs der Vermögenssteuer wurde das steuerbare Grundstück

sämmtlichen Einkünfte dieses Hochstifts wurden auf 700,000 fl. geschätzt. In dem Rechnungsjahre 17../.. warfen die Forstämter 100,456 fl. reine Revenüen ab, während an Besoldungs- und Gerechtigkeits-Holz (nach dem niedrigen Kammeranschlage) noch für 68,380 fl. frei abgegeben wurde. Meiners rechnet die Einkünfte von Würzburg aus Steuern 1792, vor der Erhöhung der Steuern, auf 600,000 fl., die von Bamberg zu 400,000 fränkischen Gulden; in die Schatulle des Fürstbischofs von Würzburg flossen 30,000 fl., des von Bamberg 15,000 fl. Mancher Domherr hatte eben so viel, ohne die Verpflichtung, einen Hof zu halten; und doch gab Franz Ludwig davon, und von seinem nicht starken Privatvermögen zur ersten Einrichtung der Armenanstalten 20,000 fl., später jährlich 5000 fl. Nach v. Heß betrugen die beiden Schatullengelder jährlich 50,000 fl. und 24,000 fl., nach Bezahlung aller Hof-, Civil- und Militär-Etats. Dieß ist offenbar überschätzt. — Auf jeden Fall waren die Staats-Finanzen von denen des Fürstbischofs geschieden. Sein Einkommen

eingeschätzt; davon werden die Reallasten nach dem Maaßstabe von 5 Prozent abgezogen. Von dem so ermittelten steuerbaren Werth läßt man 2/3, sind es Häuser in der Residenzstadt 3/4 frei; das Uebrige wird 3 fl. 12 kr. vom Hundert versteuert. Ebenso berechnete sich die Gewerbesteuer. Wer unter 100 fl. steuerbares Vermögen besaß, zahlte 1 fl., wer darüber 2 fl. Rauchgeld, dazu Schanzgeld und seit Anlegung der Chausseen Wegfrohngeld. Die Angabe des H. von Hesse, daß man in der Stadt von 100 fl. Werth der Grundstücke 1 fl. 4 kr. bezahlte, kommt auf dasselbe hinaus. Die Hauptsache aber ist die Taxirung, diese war so mild, daß unmittelbar vor dem französischen Krieg der reichste Kaufmann der Stadt Bamberg 9 fl. 16 kr. Gewerbesteuer zahlte.

aus Familiengütern soll an 10,000 fl. betragen haben, worüber er ganz zu Gunsten von Hülfsbedürftigen verfügte.

Die Geistlichkeit des Bamberger Hochstifts zahlte wenigstens gegen Ende des Jahrhunderts, nebst der „bischöflichen Steuer" und einer Taxe zum geistlichen Bauamt, von allen ihren Eigenthumsgütern die landesübliche Steuer und von allen ihren Beneficien (Amtseinkommen) noch eine sogenannte freiwillige „Liebessteuer." Die geistlichen Fürsten hatten weniger Anstand genommen, auch die Kirchengüter zu besteuern als mancher weltliche Fürst vor Josephs II. Zeit Diese mußten dazu die päbstliche Einwilligung haben und zu Zeiten einen Theil des so Eingetriebnen an Rom abtreten.

Wagner schreibt:

„Die Finanzen beruhten großentheils auf Naturalien. Die ganze Einnahme der Staatskasse im Würzburgischen stieg durch genauere Erhebung der Zölle, der Accise und bessern Benützung der Forsten von 1,2 auf 1,300,000 fl. [1]). Es wurden auf die Speicher des Großherzogthums Würzburg 80,000 Malter Frucht geliefert. Ein bedeutender Vorrath blieb stets auf den Speichern, bis sich die neue Ernte als eine das Bedürfniß deckende herausgestellt hatte. Wenn

---

1) Die Finanzen behandeln wir kurz, wer dieselben näher beleuchten wollte, den verweisen wir auf eine Anmerkung in der Trauerrede von Leibes, Seite 12. Wie in England nicht selten in Anmerkungen zu Predigten und Leichenreden, finden sich auch manchmal in solchen Trauerreden über die Fürstbischöfe wichtige statistische Notizen.

6 *

der Bauer oder Händler den Preis auf 7 bis 8 fl. rheinisch hinauftreiben wollte, wurden unerkannt (?) einige Wagen Getreide um einige Gulden wohlfeiler auf den Markt gebracht. Denn man schätzte damals, daß bei einem solchen Preise der Bauer 100 Prozent von seinem Kapital habe, da seine Produktionskosten (das Bodenkapital mitgerechnet) auf 3, höchstens 4 fl. für den Malter anzuschlagen seie. Bei der Art Magazinirung, wie sie von 1789 bis 1795 bestand, war in der Staatskasse ein jährlicher Ausfall von 12,000 fl., welche wohl verwandt waren." Und von 1789 an war theure Zeit gewesen, welche um so härter drückte, als schon von 1788 an die Häcker (Weingärtner) fünf Fehljahre nach einander gehabt hatten. Franz Ludwig sagt selbst ausdrücklich, er habe die Getreidemagazine in der Absicht errichtet, um der Getreide-Uebertheurung vorzubeugen, „die noch schädlichere Fruchtsperre zu beseitigen, und ein freieres Getreide-Commerce verstatten zu können." Es blieb bei seinem Tode nach mehreren schlechten Jahren noch ein Frucht- und Weinvorrath bei der würzburgischen Hofkammer, im Werth von 609,451 Gulden (niedrig) angeschlagen.

In die 1789 errichteten Kornmagazine hatte nicht nur der Bauer nach dem Verhältniß seines Besitzstandes beitragen müssen, sondern auch alle Beamte und Pfarrer, sowohl von den Gütern, die sie als Besoldungstheile, als von denen, die sie als Privateigenthum hatten.

Am Rechnungsabschluß waren in den würzburgischen Kassen meist an 300,000, in der bambergischen an 60,000 fl. Die Zinfen der durch Abzahlung von 323,404 fl. ermäßigten Staatsschuld, wurden pünktlich bezahlt, in Würzburg nur noch mit 3 bis 3½ Prozent. Ein großer Verlust für das Land entsprang daraus, daß nicht nur Privaten, sondern auch der würzburgische Finanzminister Goldmeier Millionen, selbst von Stiftungen, in Wien besonders, bei Betmann, gegen niedrige Prozente anlegte. Als Bankerotte daselbst eintraten, war der Verlust doppelt. — Der Bamberger Kirchenstaat hatte die aus dem Verkauf seiner großen Güter in Kärnthen erlösten Summen in Wien zu 4 Prozent angelegt, während er für seine eignen Staatsschulden 5 Prozent bezahlte. — Für Wien war es kein leerer Klang, die Kaiserstadt zu heißen.

Große Domänen, besonders bisherige Schaafweiden, wurden gegen Fruchtgülten an Gemeinden als Vererbungen gegeben. Dadurch, wie durch den Kartoffelbau, wurde die Viehzucht so gehoben, daß kein Vieh mehr eingeführt zu werden brauchte. Die Schaafe, zu deren Veredlung der Bauer sich nicht gerne herbeiließ, hatten bisher besonders den Kleebau zurückgehalten. So sehr der Fürst der Naturalwirthschaft geneigt war, so verbot er nicht nur allen Beamten Güterpacht und Gewerbebetrieb in ihren Bezirken, sondern er verpachtete auch die bischöflichen Domänen, Höfe, Schäfereien, Bierbrauereien an Bürger und Bauern. Dabei vermehrte er die liegenden Güter des Hochstifts Würzburg durch Ankäufe von einem Gesammtbetrag von 239,652 fl.

Man würde nicht darauf rathen, daß das größte Faß in der nicht nur kaiserlichen, sondern wahrhaft

fürstbischöflichen Kellerwelt unter der Residenz in Würzburg von Franz Ludwig herstammt. Dieser Riese ist
zu 660 bairischen Eimern und 24 Maas geeicht. Es
waren Klagen bei ihm eingelaufen, daß einige, namentlich Hofbeamte, bei Ablieferung des Besoldungs-
weins bevorzugt würden. Daher ließ er das Faß fertigen, groß genug, daß Allen daraus ihr Besoldungstrunk
gleich verabreicht werden konnte. Die Inschrift lautet:

Aus alt erlegnem Holz wurd endlich ich gemacht,
Durch Vorsicht, Kunst und Fleiß, zu dieser Zier gebracht.
Wer trinkt von diesem Wein, den ich ihm werde geben,
Der spreche: Franz Ludwig, der große Fürst soll leben!
Du aber, der Du trinkst, leb wohl und denk dabei,
Daß Gott von dieser Gab der höchste Schöpfer sei.

Wir können die Behauptung eines Zeitgenossen
nicht näher begründen, daß Franz Ludwig, noch früher
als es berechnet worden war, durch seine Sparsamkeit
die Steuern herabzusetzen gewußt habe.

In der Verwendung seiner Privatgelder verband
er mit Weisheit die größte Freigiebigkeit gegen wirklich Arme, wozu er auch nicht gerade am Nothwendig-
sten Mangel Leidende der höhern Klassen rechnete.

Mit den Staatsgeldern war er sehr genau, wozu auch beitrug, daß die Kassiere die Vorräthe nach
ihrer, beim früheren Fürsten wohl angebrachten Gewohnheit öfters unter der Wahrheit angaben. Wir haben
oben schon ein Beispiel davon erzählt. Der Verdacht
einer Unterschlagung nahm ihm Appetit und Schlaf;
weil er aber bei dem Bau des Bades Boklet auf eine
Verläumdung hin einen derartigen falschen Verdacht
gefaßt hatte, konnte kein Zureden seines Leibarztes
Marcus ihn mehr bewegen, wieder dahin zu gehen.

Dazu bestimmte ihn wohl am meisten, daß er damals
nur unter vier Augen gesagt hatte, er gehe nie mehr
dahin. Denn dieser Fürst ist besonders merkwürdig durch die Unerschütterlichkeit, womit er sein Wort hielt; er war aber auch
nicht leicht zu einem Versprechen zu bewegen.

Von Franz Ludwig wurde jenes Wort Christi an
den zweifelnden, schwankenden Statthalter auf den Leuchter gestellt: „Ja, ich bin ein König. Ich bin dazu
geboren und in die Welt gekommen, daß ich die Wahrheit zeugen soll."

11) Die Lotterie.

„Wie viele Menschen durch das unglückliche Lotto
verarmt, wie viele Staatsdiener dadurch in Rezesse
verfallen sind, dieses kann ich nicht genug beschreiben",
sagt Wagner.

Der Fürst faßte also den Entschluß, diese (für
die Staatskasse zunächst so einträgliche) Pest des Volkes auszurotten. Er sagte: Wenn ich nur einmal so
viel aus dem Gewinn der Lotterie übrig habe, damit
das Lotterie-Personal aus den Zinsen bezahlt werden
könnte, so will ich es auf der Stelle aufheben [1]. Be-
reiten Sie nur einstweilen alles Nöthige im größten Geheim vor." In wenigen Monaten waren die 100,000 fl.
aus dem Gewinn des Lotto erspart.

Nun hob der Fürstbischof, ohne daß es Jemand
geahnet hatte, das Lotto in Würzburg auf, und

---

[1] Andere Fürsten, wenn ihnen eine Liebhaberei entleidete,
entließen meist die nicht persönlich begünstigten Diener derselben
ohne Pension.

veranlaßte, daß es im ganzen fränkischen Kreise aufgehoben wurde[1]).

Besonders die Weiber waren von der Lottowuth
angesteckt. Hinterrücks des Mannes wurde Hausrath
verkauft, in den Keller gebrochen, oder auch auf Kredit beim Latterie-Kollektör, dem Vertrauten der Weib-
lein, gespielt. Der Vetter bei Grübel beklagt sich, daß
er ganz krank werde, weil ihm das Weib den Kopf
so von der Lotterie voll schwatze. Ein Mann, der
nicht spielen wollte, hieß es, habe kein Courage, keinen Glauben und verzweifle an seinem Glück. Dazu
kam der Glaube an Geheimnisse und Künste, um das
Glück zu bannen.

Der Herr Vetter sagt:

Und gelt, viel hundert hob'n ach
Ihr Göld ins Lotto g'setzt?
Und red'n (reden) alli Tag von Glück
Und bett'ln af die Letzt.

Die Frau Baaß antwortet:

Goa (geh), wenn mers freilich übertreibt,
Und wer kah (kein) Spiel versteiht,
Und setzt af dummi Zoahl'n ein,
Wöis oft dan Leut'n geiht.

Der Herr Vetter:

Ih will nith seib (seyn, wie) woi meiher Leut
In meiner Nachbarschaft,
Dau wörd die Woar (Hausrath) bei Tag versetzt,
Und da der Noacht verkaft.

Die Frau Baaß aber, die eben ihr Haus verkaufen

---

1) Unter der bairischen Regierung wurde Franken bald wieder des Lottoglücks theilhaftig und ist es noch, wie man sagt,
weil die bairischen Finanzen es nicht entbehren können.

muß, weil immer soviel daran zu bauen sei, antwortet:

> Dach! (ach), dau ist's Lotto uit droh schuld,
> Ich glab, die theuer Zeit.

Beweis genug, daß die Menschen immer dieselben waren!

In Würzburg aber wurde nach Aufhebung der Lotterie folgender Leichenzettel verbreitet: „Im Jahre 1786 den 27. Dezember verschied zu Würzburg Madame Lotto im 20. Jahre ihres Alters. Sie gebar 340 mal und jedes mal 90 Kinder, wovon die 5 ersten (die Gewinne) glücklich, die übrigen 85 aber unglücklich zur Welt kamen. Der Zustand ihrer Krankheit bestand darin: sie hatte, da übrigens Alles frisch und gesund bei Oeffnung ihres Leichnams gefunden wurde, einen hitzigen Magen, denn sie verzehrte Aecker, Wiesen, Weinberge, Häuser, Uhren, Betten, Vieh und alle möglichen Kleidungen; daher kam, daß sie in ihrem letzten Kindbette erstickte.

Bamberg wünscht ihr ewige Ruhe, Würzburg leuchtet ihr; die Exequien (Leichenfeierlichkeiten) werden in Holland gehalten.“

Mit Abschaffung und Verboten konnte zwar nur der ärgste Skandal des Lottos abgeschafft werden. H. v. Heß sah in Günzburg an der Donau, in der östreichischen Grafschaft Burgau, im Post- und Wirthshause ein Zimmer und Bett, worin Kaiser Joseph geschlafen hatte. Beide waren seitdem nicht gebraucht worden; er fand darin nur des Kaisers Portrait, ein angeschlagnes K. K. Mandat, worin 500 Dukaten Strafe für jeden festgesetzt war, der sich Hazardspiele erlaubte

und hart daneben hingen zwei Kollektenschilder von der
Zahlenlotterie zu Trimburg und Günzburg.

Baiern trieb seine Lotterie-Geschäfte damals nicht
blos an der Gränze besonders reicher Reichsstädte, sondern nachdem es im strengen Winter 1788 eine Holz-
sperre gegen Augsburg angeordnet und für deren Aufhebung 30,000 fl.. aber umsonst verlangt hatte, mußte
die Reichsstadt dafür zugeben, daß das bairische Lotto
während der Messe in Augsburg aufgeschlagen wurde.
Der Entreprenneur war ein Graf Mijazki, der höchste
Gewinn ein Wagen mit 2 Pferden. „Es ist unglaub-
lich, sagt H. v. Heß, wie viele Menschen aus den
niedrigen Klassen das erbärmliche Lotto ruinirt hat.
Bauern und Bauernweiber, die in ihrem Sonntage-
oder Kirmeß-Anzuge zur Stadt gekommen waren, verloren erst ihre kleine Baarschaft, gingen dann zu einem
Juden, verkauften ihre entbehrlichen Kleidungsstücke und
verloren auch diesen kleinen Ertrag."

Der fränkische Kreis aber gränzte in ziemlicher
Ausdehnung an die bairische Oberpfalz, worin auch
die bambergische Parzelle Vilseck eingeschlossen war.

12) Bauten.

Zum Bauen war er der Kosten wegen persönlich
nicht geneigt. Die erste Veranlassung dazu gaben die
Zerstörungen der großen Ueberschwemmung 1784 in
beiden Hochstiftern. Er sah jetzt, daß dadurch das Geld
in einen nützlichen Fluß kam.

Nunmehr wurden behufs der Scheidung der eigentlichen Verbrecher von den minder verdorbenen und
jüngeren Gefangenen die Straf-Anstalten neu

hergestellt. Die Todesstrafe sollte durch das eigentliche
Zuchthaus nach und nach bei Seite geschoben werden.
Ein Theil der Domherrn murrte über diese „Lusthäu-
ser"; es war allerdings für gute Luft und Heizung
gesorgt; im Zuchthaus wurden indeß die Sträflinge
die Nacht über jeder in einer besondern Zelle an den
Boden festgeschlossen. Die Tagesarbeit in den Kase-
matten war gemeinsam.

Dabei unterschied er sich von den meisten Päpsten
und Bischöfen. Denn wie die Gebäude in Rom über-
laden sind mit den Wappen der Päpste, von welchen
sie erbaut und restaurirt wurden, wie im Quirinalpa-
last selbst die einfachsten hölzernen Bänke den Namen
des Papstes zeigen, welcher sie anfertigen ließ, so war
es auch bei den deutschen Fürstbischöfen Sitte. Obgleich an Männern, welche nicht hoffen können durch
Nachkommen ihren Namen zu erhalten, solche kleine
Schwachheit verzeihlich ist, war Franz Ludwig davon
frei. Denn unser Fürstbischof ließ an beiden Sträflings-
Gebäuden weder sein Wappen, noch seinen Namens-
zug aufstellen. Er befahl vielmehr das Wappen eines
seiner Vorgänger, des Fürsten von Guttenberg, welches bei diesen Bauwesen ohne sein Vorwissen heraus-
genommen worden war, wieder an seinen Platz zu be-
festigen. —

Seine Bauten waren lauter Werke der Nothwendigkeit oder des öffentlichen Nutzens, so die alte Sa-
line bei Kissingen, der Bokleter Curbrunnen, der Um-
bau des geistlichen Seminars, Amthäuser und namentlich
Fruchtböden.

Sein Charakter sprach sich auch im Bauen und

in den Hospitälern dahin aus, daß er nicht sowohl
durch neue Anstalten glänzen, und sich einen Namen
machen wollte, sondern daß er reformirte, das Vor-
handene von Mißbräuchen reinigte und zur Hülfe und
Besserung aller Nothleidenden einrichtete. Der Stolz
der Stadt, und besonders der Universität Würzburg,
ist die Julius-Spital-Stiftung. Im Jahre 1576
begonnen, ist sie das Werk des oben erwähnten Fürstbischofs Julius, eines Ur-Oheims des von Erthal [1]).
Theils zu seines Groß-Oheims Ehre, theils um die
Zwecke der Stiftung zu erfüllen, beabsichtigte Franz
Ludwig einen großen neuen Bau. Zuerst aber wurden
die Einkünfte durch Abschaffung von allerlei Unfug und
Schlendrian so gehoben, daß sie sich auf 60,000 fl. frän-
kisch beliefen. — Das von Julius errichtete Haus war
geringer und durch den Blitz sehr beschädigt worden.
Zu Anfang des vorigen Jahrhunderts war das innere
Langgebäude, der sogenannte Fürstenbau, sehr solid
dem Garten entlang, aufgeführt worden; der vordere
an der Straße ist von Erthal.

Dabei verlegte er auch die früher vorn gestandene
Kirche in die Mitte des Fürstenbaues, und führte sie mit der
ihm erbaulichen Einfachheit aus, was ihm die leidige
Nachrede zuzog, er habe eine lutherische Kirche gebaut [2]).

---

1) Gustav Adolph soll, geschreckt durch den Fluch, den Julius auf den legte, welcher sich an der Stiftung vergreifen würde,
sich geäußert haben, mit den Pfaffen wolle er nichts zu thun
haben. Napoleon soll in den innern Hof getreten, das Gebäude
rings beschaut und mit dem Worte: Respekt vor diesem Werke!
sich entfernt haben.

2) Meiners rühmt die edle Einfalt derselben; Kanzel und

Bei diesem Bau machte ihm die Eigenmächtigkeit und der Jähzorn des ihm von früheren Verhältnissen her unentbehrlichen Hofkammeraths Goldmeier viel Verdruß. Dieser war im Bauen zur Verschwendung geneigt, handelte ausdrücklichen fürstlichen Befehlen zuwider, veranlaßte durch Abänderungen Unkosten. Als er einmal ein fürstliches Dekret erhielt, das gegen seinen Sinn war, warf er es vor dem Troß der Bauarbeiter auf den Boden und rief: der Fürst und sein Referent sind Dummköpfe! Dem Fürsten, welcher verlangte, daß alle seine Diener für seine Ehre eifern sollten, wurde es sofort hinterbracht, er war einige Wochen sehr angegriffen, trutzte mit seinen geheimen Referenten (Ministern), weil sie durch Verschweigen des Vorfalls ihm nicht den gehörigen Eifer bezeugt hätten. Er stand aber von dem Vorhaben, ihn zu entlassen, eben auf Anrathen jenes beleidigten Referenten ab, theils weil Goldmeier ehrlich und ein geschickter Finanzmann war, theils um nicht die Staatskasse mit einer nicht durchaus nöthigen Pension zu belasten.

Bei den weiteren Bauten, welche besonders das Seminar mit sich brachte, ertheilte der Fürst den Werkleuten den mündlichen Befehl, nichts neu zu bauen und nichts abzuändern, es sei denn, daß Goldmeier ihnen einen schriftlichen Befehl von ihm, dem Fürsten, vorweise. Die Uebergriffe und Verdrießlichkeiten hörten aber damit nicht auf. Hat Goldmeier Vielen durch

---

Altar waren mit inländischem Marmor überlegt; zur linken Hand des Altars stand eine schöne Figur, die aus einem Kruge in das Gefäß, wovon das ewige Licht brennt, Oel zu gießen scheint.

seine harte, hitzige, herrschsüchtige Natur wehe gethan,
so doch am meisten dem Fürstbischof.

So urtheilt nicht nur Wagner, sondern man hört
ähnliche Anklagen Goldmeiers noch aus dem Munde
alter Leute in Würzburg. Ohne ihnen entgegentreten
zu wollen, scheint doch dieser zähe, rauhe Mann ein
Bedürfniß für Franz Ludwig und seine Ergänzung
gewesen zu seyn, und dieser scheint es auch gefühlt zu
haben. Als Aufseher von Spitälern war er der Mann,
allen möglichen Unrath und Unfug auszufegen. Gewiß hätte Franz Ludwig ihm sonst nicht die Verwaltung des der Familie v. Erthal gehörigen Dörfchens
Schwarzenau, 2 bis 3 Meilen östlich von Würzburg, Schwarzach gegenüber, am Main gelegen, dem
Ritterkanton Steigerwald steuerbar, anvertraut und gelassen. Goldmeier wußte die Bauern hier zu ihrem
Glück zu zwingen. Mit Vorschriften, Ermunterungen,
Beispielen verband er Befehl und Strafen; so wurde
eine große Einöde theils zu Nadelholz besaamt, theils
das fruchtbare Land um 400 Morgen vermehrt, die
Gemeindeweide wurde vertheilt und dadurch sehr verbessert. Gegen Ende von Franz Ludwigs Leben sah
das ganze Dorf wie neugebaut aus, die Eingesessenen
hatten das volle Eigenthum ihrer Güter und damit
ein großes Kapital durch Verdopplung des Fleißes erworben. Es gab Bauern darin, welche 5 bis 10,000 fl.
besaßen. Ein solches Goldmeierdorf in Natura ist am
Ende einem Goldmacherdorf auf Druckpapier nicht nach-
zustellen!

Im Herbst 1792 wohnte Meiners einem ländli-
chen Feste bei, welches Goldmeier im Namen des

Gutsherrn, Franz Ludwig, den Bewohnern des Dorfes gab. Nach Tische kamen die Leute des Dorfs von beiderlei Geschlecht unter Vortritt einiger Musikanten in das Amthaus, und zogen dann auf den Tanzplatz hin, wo ein Tannenbaum aufgerichtet war. An den Tannenbaum hängte man eine Laterne mit einem brennenden Lichte, in welches man einen großen Thaler als Prämium gesteckt hatte. So bald dieses geschehen war, fingen die jungen Leute an, um den Tannenbaum herum zu tanzen, und Einige derselben walzten recht artig. So oft man um den Tannenbaum herumkam, übergab dasjenige Paar, welches den Preis entscheidenden Strauß gehabt hatte, diesen Strauß dem nächsten Paar, und dasjenige Paar erhielt den Preis, welches den Strauß hielt, als das Licht bis zum großen Thaler abgebrannt war. Während dieses Tanzes wurde den ältern Mitgliedern der Gemeinde Brod und Wein gereicht, und gegen Abend gingen Eltern und Kinder in das Wirthshaus, wo man sich bis zehn oder eilf Uhr wohl seyn ließ. Länger durfte die Ergötzlichkeit nicht währen, von welcher Einige, die sich das Jahr durch nicht gut betragen hatten, öffentlich ausgeschlossen wurden.

So war Franz Ludwig als Lehensherr, das hieß nicht nur, das war patriarchalisch.

13) Ordnung des Armenwesens.

Schon die früheren Fürstbischöfe hatten nicht nur den Armen durch Stiftungen und bei Landaufenthalten aus eignen Mitteln viel Gutes gethan; Johann Philipp II. (von 1699 bis 1719) hatte schon eine

Armenordnung ausgehen laffen zu Nutz der Armen, zum Schrecken der Zigeuner und des liederlichen Gefindels, welches zum Schanzen angehalten werden follte. Daffelbe wird von feinem Nachfolger, Johann Philipp Franz, einem Grafen von Schönborn, gerühmt, indem er strenge darauf hielt, daß gefunde, starke Bettler, fowie Kinder, zu Erwerbung ihres Unterhalts durch Arbeit angehalten würden. Allein wie die Armuth, ist auch das Wirken gegen fie, zumal durch Gefetze, eine Danaidenarbeit; fie stumpfen fich durch den Aberglauben und die Wehleidigkeit der Geber, wie der Bettler in Kurzem ab. So klagte Normann in feiner Völker- Länder- und Staaten-Kunde (Hamburg 1785 bis 1787) Würzburg und noch mehr Bamberg argen Bettels, Müffiggangs und des Mangels an Industrie an. Selbst Vertheidiger gestehen, daß es bis zur Armenpolizei-Ordnung Franz Ludwigs damit feine Richtigkeit gehabt habe. Schon als kaiferlicher Kommiffarius hatte er aus den besten Schriftstellern die besten Stellen über Armenanstalten, wie über Verbefferung des Volksschulwesens gefammelt. Er entwarf fich fchon Plane und war, wie er felbst fagte, davon erfüllt, als er die Regierung antrat. Um fo mehr erwies er auch hier feine Befonnenheit durch die Bedächtlichkeit der Ausführung. Er kannte fowohl die böfe Wurzel, als das göttliche Ebenbild in den Menfchen und wollte fie als etwas beffer nehmen und behandeln, als fie fich felbst geben, aber nur mit Maaßen.

Franz Ludwigs Liebe zu dem Volke, befonders zu den Armen, war eine kernhafte, keine fentimental verweichlichte. Seine Armenanstalten waren mit einer

strengen Armen-Polizei ein. Ein Soi—disant Philan-
throp stellte auch den bekannten Satz auf, es sei besser,
daß 10 Bösewichter ungestraft ausgingen, als daß ein
einziger Unschuldiger gestraft werde. Franz Ludwig
begegnete ihm mit der Frage: „geht die öffentliche
Sicherheit eines Volks nicht der Privatsicherheit eines
verdächtigen Individuums vor? Der Fürst ist ersterem,
nicht letzterem volle Sicherheitsleistung schuldig. Denn
nego suppositum, (ich läugne die Voraussetzung, Un-
terstellung) daß der unschuldig ist, den die peinliche
Justiz (oder die Polizei) als schweren Kriminal-Ver-
brecher in Untersuchung nimmt.“

Auch bei der Armenpolizei-Gesetzgebung handelte
er nach diesem Grundsatze.

Unterm 29. April 1786 erging an die Landäm-
ter eine fürstbischöfliche Verordnung, welche sie in Kenntniß setzt, was in der Residenz Würzburg für
die Armenpolizei geschehen sei. Darin wird der Grundsatz vorangestellt, daß jedes Land, jedes Amt, jede Gemeinde ihre Armen zu versorgen habe, daher jeder,
zumal ausländische Bettler, in seine Heimath zu schaffen ist.

„Da Wir in unserer fürstlichen Residenzstadt solche Anstalten getroffen haben, daß die Alters
oder Gebrechlichkeits halber zur Arbeit unfähigen wahren Arme „nothdürftig“ unterstützt werden, denen
aber, die noch arbeiten können, Arbeit angewiesen wird,
so ist unser ernstlicher Wille und Befehl, daß aller
Bettel aufhöre. Die erwachsenen Bettler sollen erstmals zweimal 24 Stunden, und so ansteigend bei
Wasser und Brod, dieß bei längerem Arrest alle ander

Bernhard, Franz Ludwig.   7

Tage, eingesperrt werden, und soll ihnen diese Nahrung
auf ihre Kosten gereicht werden, entweder daß sie sie
mit Handarbeit verdienen, oder ihnen von ihrer Orts-
armenunterstützung ein entsprechender Abzug gemacht
werde. Gleichermaßen ist gegen fremde Bettler, z. B.
Leute, die höhern Standes zu sein angeben, abgedankte
Soldaten, vacirende Herrendiener, Schreiber, fechtende
Handwerksbursche, Landleute, Landesverwiesene, Ere-
miten zu verfahren, und sind solche hernach aus der
Stadt hinauszuführen."

Doch scheint es, daß er den unbeschuhten Karme-
litermönchen zum Reuen in Würzburg, welche ihr Almosen von allen möglichen Produkten im ganzen Lande
überflüssig sammelten, diesen ihren heiligen Bettel nicht
niederzulegen vermochte, da ihre Ordensregel päbstliche
Bestätigung hatte. Ein zuverlässiger Mann schreibt
gegen Ende des Jahrhunderts: „Das Kloster der Fran-
ziskaner-Conventualen zu Würzburg ist sehr reich an
ausstehenden Kapitalien. Es ist ein starker Widerspruch,
wenn der Terminarius (aufgestellte Bettler) desselben
in dem einen Ort um Gotteswillen Almosen sammelt,
und in dem benachbarten Dorfe sein Bruder Joseph
zu gleicher Zeit die Zinsen der ausgeliehenen Kloster-
Kapitalien, mittelst Androhung des Amtszwanges, er-
hebt." — Aber was war da zu machen? —

„Die Eltern bettelnder Kinder aber, heißt es weiter, sollen diese auf der Polizeiwache abholen müssen,
wo sie zu verwarnen sind; im Wiederholungsfall bekommen die Eltern Arrest, die Kinder Schläge."

Verschärfung der Strafe tritt ein bei Betteln zur
Nachtzeit, auf Widerspenstigkeit bei der Arretirung, wenn

in Häusern das Almosen mit Ungestümm gefordert wird. In solchen Nothfällen ist der nächste beste aus der Straße herbeigerufene Soldat zur einstweiligen Arretirung verpflichtet.

Andererseits ist das Almosengeben bei 5 fl. Strafe verboten, welche der Armenkasse zufallen; Verweigerung der Herausgabe eines Bettlers „werden wir, wenn es von Leuten höheren Standes geschehen sollte, nachdrucksam ahnden, Leute geringeren Standes aber mit Zuchthaus oder sonstiger Leibesstrafe, die Studenten mit Ausschließung aus den Schulen und der Stadt auch bestrafen."

Handwerksbursche erhalten ein kleines Geschenk, und dürfen höchstens 2 mal 24 Stunden in der Stadt sich aufhalten, wenn sie keine Arbeit finden.

Die Landbeamten werden aufgefordert, ihrerseits einstweilige Armenpolizei-Anstalten zu treffen, darüber binnen eines Vierteljahrs zu berichten; man werde durch gute Einrichtung „eine vorzügliche Hoffnung auf die fürstliche Gnade sich erwerben."

Da nun von den Landbeamten manchen Orts seine Gesinnungen und Absichten nicht erreicht und sich keine rechten Begriffe von einer Armen-Polizei gemacht wurden, da es an Einförmigkeit und durchgehends gleichen Grundsätzen mangelte, sah sich der Fürstbischof 10. August 1787 zu einer Verordnung über Armenpolizei auf dem Lande veranlaßt.

Um Ordnung darein zu bringen, sollte in jeder Gemeinde eine Armen-Kommission errichtet werden, welche aus dem Bürgermeister und einigen Rathsverwandten bestünde, und sich monatlich versammle; der Ortspfarrer und möglichst oft der Bezirksbeamte, sollen

7 *

ihren Sitzungen beiwohnen. Dieselbe hat jährlich ein
Verzeichniß der Ortsarmen (Conscription genannt),
welche dazu selbst vorgeladen werden, zu fertigen, worin
ihre geistige und leibliche Lage zu schildern ist. Diejenigen Armen, die gar nichts haben und verdienen
können, sind von den nur vorübergehend Bedrängten
und besonders von den Müssiggängern streng zu un-
terscheiden. „Denn diese gehören eigentlich gar
nicht zu den Armen, müssen mit der äußersten Strenge
von der Unterstützung ausgeschlossen, zum Fleiß und
zur Arbeit mit angemeßnen Zwangsmitteln angewiesen
werden. Fruchten die Warnungen nicht, so ist mit
Strafen durch Einthürmen bei Wasser und Brod, und
zuletzt mit Stockschlägen wider sie zu verfahren." Ein
besonders scharfes Auge wird für die Betteljuden, namentlich die polnischen, sogenannten Schnurrjuden empfohlen, damals eine Landplage unseres süddeutschen
Vaterlandes, welche sich besonders auch der Dieberei
befleißigten. Ihnen sollte bei strenger Strafe in den
fürstbischöflichen Landen nur von der Obrigkeit — im
Gefängniß — Quartier gegeben werden, ob sie nun
getauft seyn oder nicht. Auch über die Kekheit von
Bettlern, welche den „Streunern" (Vaganten) nahe
kommen und die öffentliche Sicherheit manchmal ge-
fährden, wird geklagt. Wenn diese unterwegs von den
hochfürstlichen Huffaren [1]) zum öftern umsonst mit einer

---

1) So hießen auch sonst damals die reitenden Gensdarmen.
Franz Ludwig hatte aber wirkliche Reiterei aus den Restdenzen
zu diesem Zweck in verschiedene Städtchen seines Gebiets vertheilt. Die Polizeidiener führten den ergötzlichen Namen: „Ru-
morknechte."

Tracht Schläge von dannen gewiesen sind, sollen sie
von ihnen arretirt und vor den nächsten Zentgrafen
(Kriminalrichter) gebracht werden. Dieser soll ihnen
nach Leibesbeschaffenheit eine Tracht Schläge aufmessen
sen lassen. Läßt einer sich wieder beim Bettelstreif betreten, so ist er auf 1 bis 4 Wochen ins Arbeitshaus
zu liefern. Während die Räuberbanden damals in
Schwaben in ihrer Blüthe standen, trotz aller Galgen,
war in den Hochstiftern Sicherheit ohne Henker.

Des Schreibens und der Berichte und der weit-
läuftigen Tabellen über jede zu unterstützende Person
waren bei diesen Anstalten auch nicht wenige. Aber es
wurde nicht blos geschrieben; so sollten alle Ortschaften
über 20 Haushaltungen in Distrikte abgetheilt und
die Armenaufsicht und Polizei einem darin wohnenden
Rathsverwandten oder Gerichtsmann übertragen werden. „Denen, die irgend noch arbeiten können, soll für
entsprechende Arbeit gesorgt werden, denn es darf der
Hauptgrundsatz der Armenpolizei nicht außer Acht gelassen werden: daß Niemand, der irgend noch arbeiten
kann, müssig ernährt werden dürfe; es muß schlechterdings jeder soviel verdienen, als ihm nach seinen Kräften möglich ist und nur so viel er nicht verdienen
kann, ist ihm von dem fallenden Almosen zu seinem
nothdürftigen Lebensunterhalte zuzulegen.“
Auch auf dem Lande ist alles öffentliche Betteln und Almosengeben bei Strafe — dieses bei 1 fl. —
verboten, namentlich auch an den Kirchthüren. „Wir
wollen jedoch das Mitleiden guter Herzen nicht dahin
beschränken, daß sie nicht in ihren eignen Häusern oder
auch in den Wohnungen der Dürftigen Gutes erweisen

können; dieses muß aber in der Art geschehen, daß der Mitleidige den Armen selbst wähle oder bestelle, dieser jedoch solches nicht begehren, vielweniger sich aufdringen dürfe. Die in den Dörfern dazu aufgestellten Tag- und Nachtwächter werden wegen Nachlässigkeit um 1 fl. in die Armenkasse oder mit 2 Tage Arrest bei Wasser und Brod bestraft."

Daß es aber unserem Fürstbischof, so fest er in seiner Ueberzeugung war, doch schwer wurde, derselben in allen Fällen zu folgen, bezeugt eine Würzburger Sage. Er wurde einmal auf der Straße von einem zudringlichen Bettler verfolgt; ob er demselben gleich wiederholt erklärte: Du bekommst nichts! ließ sich derselbe doch nicht abtreiben. "Jetzt bekommst du gar nichts!" erklärt ihm Franz Ludwig, gibt ihm aber, als auch dieß nichts hilft, einen Dickthaler. — Der Bettler, denselben beruhigt einsteckend, bemerkte: so, jetzt weiß ich auch, was für ein Unterschied zwischen "nichts" und "gar nichts" ist. — Was für einer? fragte wohl etwas gereizt der Fürst. — Ein Dickthaler.

Bei Abfassung der Verzeichnisse der zu unterstützenden Armen wird sehr vor schwachmüthigem Mitleiden gewarnt und der Fürstbischof sagt, daß das Besuchen der Kirchen Leuten, die sonst den Müßiggang lieben, bei der Regulirung des Almosens zu keinem Verdienste anzurechnen seie.

Die Mittel zur Armen-Unterstützung fließen aus den Ortsstiftungen und dem wöchentlich einzusammelnden Almosen. Dieses konnte wechselsweise durch nur vier Arme mit Vortragung des Kreuzes, unter Begleitung des aufgestellten Bettelaufsehers oder

Gemeindeknechts eingeholt werden. Wo dieses nicht zureichte, hatte die Gemeinde, im Nothfall der Bezirk, im äußersten Nothfall der Staat, einzustehen.

Der Fürstbischof las die Berichte der einzelnen Gemeinden selbst durch. Er hatte Ursache 1. Okt. 1788 im Allgemeinen seine Zufriedenheit zu bezeugen, jedoch zu ermahnen, daß man seine Anordnungen genauer durchzuführen und nicht zu urtheilen habe, was man daran als wesentlich, was für Nebensache halte und behandeln wolle. Das verursache nur mehr Schreibereien und verhindere die Einheit und Ueberficht der Anstalt.

Das Beispiel der würzburg - bambergischen Armen- Anstalten und die Mittheilung seiner Armen- Gesetze, welche Franz Ludwig an den Kreis- Convent zu Nürnberg machte, wirkten dahin, daß die höchst- und hohen Herrn Fürsten-Stände des löblichen fränkischen Reichskreises sich über eine Armenpolizei vereinigten [1]). Bei der Zerriffenheit der durcheinander liegenden Lande war nur damit zu einem Ziel zu kommen.

Als Grundsatz ward auch hier allgemein angenommen, daß jedes Land und jeder Ort in demselben

1) Zu den besten Armen=Ordnungen gehört noch die von Ansbach, wo jeder Arme, wie wohl bei Franz Ludwigs Conscription, aufgefordert wird, seinen Bedarf selbst zu satiren und auf das Geben von Almosen an Bettler eine empfindliche Geldstrafe (gerade 5 fl. wie oben) gesetzt ist. Ansbach gehörte einst auch zum fränkischen Kreise und jene Ordnung dürfte ihre Wurzeln zum Theil in den Gesetzen Franz Ludwigs haben. Auf alle Fälle ist Ansbach ein klassischer Boden für Armenordnung; jeder Einwohner muß sich aktiv oder passiv daran betheiligen, jeder Arme wird regelmäßig besucht.

seine Armen zu versorgen habe, daß durchaus kein
Bettler geduldet werden dürfe und jeder Arbeitsfähige,
der, um sich zu nähren, kein eigenes Vermögen hat,
zur Arbeit anzuhalten sei.

Der fremde Bettler ist in seines Herren Land zu
schicken und von dem einen oder andern Theil mit
Schlägen zu züchtigen. Vagabunden, wenn sie sich ein
zweites Mal im Kreise finden lassen, sind ins Arbeitshaus zu sperren; das erste Mal werden sie mit einem
Zehrgeld über die Gränze geschafft; als einheimisch muß
Einer angenommen werden, wo er sechs Jahre geduldet
wurde. — Dieses war eine harte aber gerechte Strafe
besonders für einen Theil der kleinen reichsunmittelbaren und andern Ritterschaft, welche eine Spekula-
tion darauf gemacht hatte, gegen ein kleines Schutz-
geld allem Gesindel Unterschleif in ihren Orten, und
jedem Besitzer einer Hütte und eines Bettelstabs Erlaubniß zum Heirathen zu geben, von wo es bettelnd
und stehlend, wie einst mancher Raubritter, nur mit
weniger Gefahr wenigstens für den Rücken des Jun-
kers, das umliegende Land brandschatzte. In manchen
ritterschaftlichen Orten lebte der größte Theil davon,
daß sie hordenweise in die wohlhabenden Gaue ein-
brachen [1]).

---

1) Ein geistreicher Vertheidiger des großen Grundbesitzes
und der Ritterschaft sagt neben anderen sehr zu beherzigenden
Wahrheiten: „Je kleiner das Territorium, desto größer die Sucht
es zu übervölkern." — Aber er thut sehr Unrecht, dieses nur
dem Beamtenthum, der Büreaukratie aufzubürden. Die kleinsten
reichsunmittelbaren Ritter suchten oft durch Uebervölkerung ihres
Landflecks an Ansehen zu gewinnen, und kümmerten sich um

Franz Ludwig hatte für die Nothwehr dagegen gewiß bei einem Theil seines Domkapitels herzlich schlechten Dank. Auch die wohlhabendern ritterschaftlichen Unterthanen hatten sich schon oft der Aufnahme solcher Bettler-Familien — die nur die Zahl, die Ziffer der Unterthanen des gnädigen Herrn zu vermehren dienten, zu Ortsbürgern gewehrt. Aber: „die Herrschaft nimmt sich ihrer Unterthanen an, nicht ihr Bauern!" — herrschte der ritterschaftliche Beamte. Allein gerade die Guts- und Domänenherrschaften waren es, welche auf die Gemeinden die Last der erzweckten Armen von sich abwälzten.

Um die Ehen und somit die Fortpflanzung der Vagabunden möglichst zu verhindern — denn die Weibsbilder unter denselben hielten doch sehr auf die ehliche Einsegnung, wenn auch von einem Geistlichen einer andern Konfession — wurde verordnet, daß dieß allen Pfarrern solle streng verboten werden, und daß ihnen bei Zuwiderhandlung der Unterhalt derselben zur Last liegen solle.

„Herrschaften, welchen Kirchweihschutz zusteht, wird zur Verbindlichkeit gemacht, die sich an Kirchweihtagen häufig einfindenden Bettler abzuhalten, aufzuheben und in ein Arbeitshaus zu bringen. Im Nothfall wird ihnen der unverfängliche Beistand eines mächtigen Nachbars

---

Industrie meist weniger als die Beamtenregierungen. Die Träger der historischen Interessen haben die vielseitige Geschichte unsres Vaterlandes um so gründlicher in Betracht zu ziehen, als sie nur dann aus der Erfahrung praktischen Nutzen fürs Ganze schöpfen können.

und deſſen Mannſchaft gegen eine Ergötzlichkeit zuge-
ſichert."

Es gab alſo auch damals auf ihre Suveränität
ſtolze Herren, welche durch einen Haufen Bettler ins
Gedränge gebracht werden konnten. Die Bettler kannten ſolche und zogen ſich dahin. Solcher Kirchweih-
ſchutz war aber für ſolche kleine Potentaten ein Mittel auf Koſten der auswärtigen Zecher und vermittelſt
ihrer Liederlichkeit ſich einige Acciſegulden zu erzwecken.
In der fürſtbiſchöflichen Inſtruktion vom 8. Juni 1791
wird uns ein noch weiterer Blick in dieſe Zuſtände
eröffnet. Da heißt es, „daß noch hier und da, in-
ſonderheit an den Gränzen und in jenen Gegenden
des Landes, wo mehrere Herrſchaften an einander
gelegen ſind, zur Zeit der Kirchweihe, des Neujahrs
und dergleichen, ſowohl fremde als einheimiſche Bettler, vorzüglich die abgedankten Soldaten oder
ſogenannten Landsknechte ſich zuſammen-
rotten, ſofort geſammter Hand das Almoſen den Leuten in den Ortſchaften abzwin-
gen. Die Huſaren haben an dieſen Tagen an ihren
angewieſenen Stationen ihre Schuldigkeit vorzüglich zu
verrichten, in den ſämmtlichen Ortſchaften des ganzen
Landes ſind die in jedem Orte befindlichen „Landſol-
daten" in ihren Monturen mit Gewehren in ihrer
vollen Rüſtung, unter Anführung der in jedem Ort befindlichen Ober- und Unteroffiziere auf Patrouillen aus-
zuſenden, um die betretenen Bettler mit Stockſchlägen
auseinander zu treiben und zu verſcheuchen, die bekannten einheimiſchen überdieß bei den Amtsſtellen zu Beſtra-
fung in Anzeige zu bringen." Den „Kirchweih-Almanach"

trieben besonders auch die Weingärtner in schlechten
Jahren.

Kleine Potentaten sollten sich nach dem Kreisbeschluß
mit andern zu Haltung eines gemeinsamen Zwangs-
Arbeitshauses vereinigen. Die lumpige Kleinstaaterei
blieb jedoch ein Hinderniß der guten Armenpolizei, da
manches Dorf mehreren adelichen Familien zusammen,
oder einer und dem Kaiser miteinander gehörte, oder
auch nicht selten die Superänitätshoheit streitig war.
Jeder Theil wollte dann alle Nutznießungen und keine
Lasten.

Zu Ueberwachung der Handwerksburschen, denen
das Fechten verboten, aber aus der Armen- oder Ge-
meindekasse ein Zehrpfennig gereicht ward, wurden die
Geschwornen des Handwerks gebraucht. Länger als
ein Vierteljahr durfte kein Handwerksbursche ohne Arbeit sich im fränkischen Kreise aufhalten: Nicht übersehen dürfen wir den Gesichtspunkt des Kirchenfürsten
bei diesen Anstalten. Seine Veröffentlichung der fränkischen Kreismaßregeln beginnt er mit den Worten:
„Es ist für jeden patriotisch gesinnten Deutschen erfreulich, gute und zweckmässige Armenanstalten in Deutschland zu sehen."

Der edle Fürstbischof durfte es mit Vergnügen
wahrnehmen, daß die Anstalten aufkamen. „Immer
jedoch schien es an der Kenntniß und dem wahren
Verstande der erlaßnen Verordnungen zu fehlen und
es war eine möglichst gleiche, wenigstens verhält-
nißmässige, überall stattfindende Vollkommenheit der
Armenanstalten auf dem platten Lande immer noch
ein frommer Wunsch geblieben." Dieß bewog ihn

13. Sept. 1791 eine Vieles näher bestimmende allgemeine Instruktion in Betreff der Armen-Polizei auf dem Lande herauszugeben [1].

Diese Instruktion beschäftigte sich 1) mit den Armen-Kommissionen, 2) mit der Conscription (Verzeichniß der Ortsarmen nach Klassen), als dem Mittel, die Armen kennen zu lernen, 3) mit Bestimmung der Mittel den Armenunterhalt zu verschaffen, 4) mit der Art, wie das Verarmen der Landleute für die Zukunft so viel möglich zu verhüten ist.

Die Schultheißenämter hatten die Armensachen zum Theil an sich gerissen, gewaltthätige Dorfpotentaten waren in die Ortsarmenkommissionen gewählt worden, welche parteiisch für Unwürdige Unterstützung erzwangen. Daher wurde nun solch Gewaltthätigen mit empfindlichen Strafen gedroht und bestimmt, es solle Alles nach Stimmenmehrheit beschlossen und dann protokollirt werden; den Pfarrern und Distrikts-Deputirten für das Armenwesen wird scharf befohlen, jeder Sitzung, den

---

1) Dieselbe steht obigen früheren Verordnungen voran in dem „Gesetzbüchlein zur Behandlung der Armen-Polizei auf dem Lande, das heißt: Verordnungen in Betreff der Land-Armen-Polizei in dem fürstlichen Hochstifte Würzburg, bei Hofbuchdrucker Sartorius, Würzburg 1791." Dieses Büchlein ist eine wahre Seltenheit geworden, die so verdienstvolle historische Gesellschaft in Würzburg hat sich vor Kurzem erst eines zu verschaffen gewußt, ein zweites Exemplar ist im Besitze eines Buchbinders und Liebhabers alter geschichtlicher Bücher in Würzburg. Durch das Vertrauen und die Gefälligkeit des Letzteren sind wir im Stande, diese Auszüge zu geben. Die bairischen Armenverpflege-Verordnungen unter Max L. sind ganz nach diesem Gesetzbüchlein abgefaßt.

weltlichen Bezirksbeamten aber so oft wie möglich den
Sitzungen der Armen-Kommissionen anzuwohnen; diese
sollten vom 1. Nov. bis 1. Mai auch in den Dörfern
alle 14 Tage, im Sommer alle Monate unfehlbar abgehalten werden.

Die Erfahrungen, welche man besonders auf dem
Lande gemacht hatte, stellen sich heraus in der 1790
gedruckten Sammlung von Preisaufgaben, welche der
Fürstbischof 1788 an die würzburgische Landgeistlichkeit
über die Pflichten der Geistlichen und Seelsorger, in
Beziehung auf die zeitliche Wohlfahrt ihrer Untergebenen, insbesondere der Armen gestellt hatte.

Da heißt es Seite 216: „daß die in den Dorf-
gemeinden vorzüglich aus ungebildeten Landleuten zu-
sammengesetzten Armen-Kommissionen, nach täglicher
Erfahrung, oft nur zu sehr Menschen sind, welche bald
das Grundgesetz der Armen-Polizei, die Rücksicht auf
das bloße Bedürfniß, in übertriebener Strenge verste-
hen, ein andermal wegen örtlicher Mißverständnisse
einzelnen Ortsarmen abgeneigt sind; die Meisten, ja
oft ganze Gemeinden, vom Eigensinn und Geiz so be-
fallen sind, daß sie den obersten Grundsatz: daß jede
Gemeinde ihre Armen selbst ernähren solle, vor Augen
habend, fast durchgängig von keinen, oder nur von
sehr wenigen Armen unter sich wissen wollen. Man
unterstützt dieses mit Scheingründen, z. B. daß es den
öffentlichen Kredit einer Gemeinde schwäche, wenn sie
viele arme Familien unter sich angebe, daß ihre Kinder [1]) bei vorhabender Verehlichung zurückgesetzt und

---

1) Das heißt wohl: Kinder auch vermöglicher Leute in einer
solchen Gemeinde.

von auswärtigen bemittelten Söhnen oder Töchtern
die in einen solchen Ort heirathen sollten, verabscheut
würden." Man lasse lieber seine Ortsarmen die bitterste Noth, selbst im Alter leiden, auf den Bettel
oder aufs Hausiren ausgehen, man versäume bei vor-
übergehender Noth durch Unterstützung völliger Verarmung zuvorzukommen. „Wer einen Vetter, Gevatter-
mann, nahen Verwandten unter den Orts-Deputirten
oder Vorstehern hat, darf für keinen selbstverschuldeten
oder unwürdigen Armen erklärt werden. Da werden
oft Vermögens-, Unbescholtenheits-, Leumunds-Zeug-
nisse, ohne Zuziehung der Pfarrer, aufgestellt und von
Gerichtsstellen angenommen, wovon oft kaum die Hälfte
wahr ist, weil überhaupt das Landvolk es mit solchen
Zeugnissen nicht genau zu nehmen gewohnt ist."

Diese, vielleicht etwas einseitig, von dem Pfarrstand-
punkt aus angesehenen Beobachtungen veranlaßten den
Fürstbischof zumal, das Geschäft der Armen-Conscrip-
tion fürder nicht blos den gewählten Ortsbürgern anzuvertrauen, die Aerzte und Chirurgen sollten beigezogen werden, wo es sich um Untüchtigkeit zur Arbeit
handelte, der Pfarrer und Beamte mußte sich auch
daran mehr betheiligen [1]). Auch fürder sollten die
ganz Mittel- und Kraftlosen von denen scharf geschieden werden, welche sich nur theilweise durchbringen
können, wobei stets die Familie als ein Ganzes zu
betrachten ist. Warum Einer aus der einen in die
andere Klasse versetzt wurde, sollte in dem Jahresbe-
richt genau angegeben werden. „Bei alt erlebten Leuten,

---

1) Eben sowohl wird aber auch verboten, daß der Pfarrer
einseitig die Unterstützung eines Armen ausspreche.

111

welche ihr Leben unter steter Arbeit und in andern
Mühseligkeiten zugebracht haben, ist auf die festgesetzten Regeln nicht so streng und pünktlich zu halten, sondern, da sie Trost verdienen, die Wohlthätigkeit mehr,
als es sonst die Regel erlauben würde, zu erweitern ¹);
dagegen aber bei Leuten, die dem Müssiggange und
Wohlleben ergeben waren, auf die festgesetzten Regeln
streng zu halten ist."

Die so geläuterte Armen-Kommission sollte nicht
nur die Armen-Polizei insonderheit, sondern auch die
Polizei insgemein und in gewissem Verstande zum Ge-
genstande haben, nämlich so viel die Aufsicht über die
Handhabung derselben (z. B. die Bettel-Polizei) betrifft. Sie sollte den Schulfleiß der Kinder im Lite-
rar- und Industrie-Schulwesen, die Abhaltung des
verdächtigen und liederlichen Gesindels, die Sorge über
die Beobachtung der Verordnungen in Berathung ziehen, welche über das nöthige Vermögen und die Betriebsamkeit derjenigen Leute, welche sich verheirathen
wollen, erlassen sind.

Jeder Seelsorger solle es sich zum Geschäft machen,
seiner Gemeinde den wahren Geist des Armen-Instituts

---

1) Eine heitere Sage von einem Bettler aus jener Zeit hat
uns Grübel in seinen Gedichten, in Nürnberger Mundart, erhalten. Als derselbe nicht mehr an seinen Krücken gehen konnte,
kaufte er sich ein Rößlein, worauf er sich die Nahrung für beide,
vor den Fenstern sammelte. Der Förster, welcher dasselbe nach
dem Tode des Bettlers kaufte, mußte beim ersten Ritt sich am
ersten Bauernhaus ein Brod schenken lassen, um das Pferd von
der Stelle zu bringen, bis ihn Einer auf die List brachte, jedes
Mal unter den Fenstern zu rufen: Vergelts Gott! — worauf
das getäuschte Rößlein weiter trabte.

begreiflich zu machen und zu unterrichten, wie sie sich nach der von den Gesetzen bestimmten Art, Almosen zu geben, um so mehr zu richten habe, als sie sonst, indem sie gute Werke zu verrichten wähnte, sich schwer wider die göttlichen Gebote vergehen würde. Fehler in der Verwaltung, z. B. Ungleichheit in Unterstützung der Armen an demselben Orte, sind um so sorgfältiger zu vermeiden, als sie der Anstalt selbst von den Leuten aufgebürdet werden und ihre allgemeine Förderung abnimmt. „Eine das Nothdürftige überschreitende Unterstützung ist dem Staate[1]) um so schädlicher, je mehr dadurch die Gleichgültigkeit gegen Wohlstand und Armuth genährt, die Betriebsamkeit erstickt und der Armenstand überhaupt behaglich und reizend gemacht wird." Die „geschämigen Armen, übrigens in kleinen Orten wahre Undinge", kann die Armen-Kommission ausnahmsweise von dem persönlichen Erscheinen vor derselben dispensiren, und können sie in ihrem Hause vernommen werden.

Die Ortssammlungen, theils jährliche, an Früchten, Most, Flachs, Wolle, theils wöchentliche an Geld und Brod, sollten jetzt nicht mehr durch den „Bettelhaufen" („einen, den an sich nicht uneblen Namen „Armuth" entehrenden, Ausdruck, den man vertilgt wissen wolle"), sondern durch einen beliebten Rathsverwandten, Gerichtsmann oder sonstigen Gemeindsnachbar, die Vertheilung, — welche bisher mancher Orten durch

---

1) Die Sprache des Zeitalters des großen Friedrichs und Josephs befaßt charakteristisch unser "Staat" alles zusammen, was wir die Gesellschaft (als auch Gemeinde, Familie) nennen.

die Armen selbst geschehen war, durch den in jedem
Orte zu wählenden Almosenpfleger, zugleich Rechnungs-
führer und Vormünder, geschehen. Freie Kosttage,
besonders für ältere Wittwer wurden sehr empfohlen.

Bei dem Armenwesen waren aber nicht die guten
Gesetze und Rathschläge des Fürstbischofs sein Haupt-
verdienst, sondern daß er mit unglaublichem Fleiß deren Ausführung überwachte und seinen ausdauernden
Eifer auch Andern einzuflößen wußte. Zweimal wöchentlich präsidirte er der Armen-Kommission.

Damit arme Gemeinden, welche ihre Armen wirklich nicht nothdürftig unterstützen konnten, aus der Amts-
(Kreis) Kasse Hülfe erhalten könnten, sollte der Ueberschuß des Ersammelten aus den wohlhabendern Orten
dazu verwendet werden. „Die Seelsorger haben ihren
Gemeinden einstweilen den Umstand zu erwägen zu
geben, daß es billig sei, wenigstens so viel an Geld
und Brod ihren verbrüderten Amtsarmen zu überlassen, als sie vor der jetzt bestehenden Anstalt an fremde
Bettler und Streuner (Vagabunden) mehr durch Ungestümm derselben genöthigt, als aus gutem Willen,
mehr um nur ruhig und ungestört zu seyn, als um
ein gutes Werk zu entrichten, verwendet hätten [1]).“

Franz Ludwig beabsichtigte einen ihm in der Theo-

----

[1] Für den Fachmann ist interessant, was Seite 28 bis 32
über die Bittschriften an den Fürstbischof um Unterstützung gesagt
wird. Dieselben sollen nur in Nothfällen, z. B. wegen Krankheit,
Baufälligkeit eines Hauses, um Lehrgeld verfaßt, und stets mit
einem Gutachten der Ortsarmen-Kommission begleitet seyn. Ueber
die in jedem Orte zur Ueberwachung und Verköstigung wandernder
Fremden aufzustellenden zwei Deputirten, siehe Seite 34 bis 36.

Bernhard, Franz Ludwig.   8

logie etwas zu freisinnigen Professor der Universität,
Oberthür, an die Spitze des Armenwesens zu stellen. Da
dieser ablehnte, erklärte der etwas gekränkte Fürst, dennoch solle ihm sein Recht als Lehrer auf keinerlei Weise
geschmälert werden. Daß der auch sonst bedeutende
Oberthür für das Armenwesen Sinn hatte, bezeugen
seine schönen Stiftungen zur Hebung der Armen; keine
Verwendung derselben hat sich segensreicher ausgewie-
sen, als Unterstützung tüchtiger Gesellen zu Ausbildungs-
reisen und Unterricht.

Endlich sollte es sich die Armen-Kommission zur
Hauptpflicht machen, die Quellen der Armuth
aufzusuchen und zu untergraben. Da Verschwendung und üble Hauswirthschaft eine Hauptquelle
der Armuth ist, so sollen den üblen Hauswirthen vorerst Verweise vor der ganzen versammelten Ortskom-
mission gegeben, hiernächst dieselben bei Wasser und
Brod eingesperrt, endlich dem Bezirksamt zu scharfer
Bestrafung angezeigt werden; ledige Verschwender sollen dadurch gezwungen werden, Dienst zu nehmen. Da
der Müssiggang hauptsächlich durch das einzelne Betteln genährt wird, so ist dasselbe von den Gemeinden
bei Strafe, als eines der größten Polizei-Ver-
brechen, das die Sitten gänzlich verdirbt und auch
die allerzweckmäßigsten Armen-Anstalten auf einmal
zernichtet, ein für allemal einzustellen.

„Da aber schlechter Nahrungszustand nicht minder
eine Quelle der Armuth ist, haben die Orts-Kommissionen

Die Ortsvorsteher sollten keine fremde Bettler mehr zu Gemeinde-
hirten anstellen und besonders die Hirtenhäuser öfters visitiren,
ob keine herrenlose Leute daselbst Unterschleif haben.

auf deſſen Beſſerung um ſo mehreren Bedacht zu nehmen, je unverſchuldeter das hieraus entſpringende
Schickſal armer Leute iſt. Der Nahrungsſtand kann
aber verbeſſert werden, wenn die gemeinen Hütpläße
(Almanden) mit gutem Boden vertheilt, die bisher
gewöhnliche Brache, wo es thunlich iſt, abgeſchafft,
der Kleebau befördert, die Stallfütterung eingeführt
wird." Die geiſtlichen und weltlichen Vorſteher ſol-
len durch Belehrung und beſonders durch Beiſpiel auf
Veredlung der Landwirthſchaft hinwirken.

Joh. Chriſt. Bernhards Vorſchläge zu einer wirth-
ſchaftlichen Polizei der Dörfer wurden unentgeldlich im
Land vertheilt. Um 1740 hatte der reſignirte Würzburger Profeſſor Ph. A. Ullrich, Professor juris et ru-
ris genannt, von ſeinem Landgut aus für rationellere
Landwirthſchaft, beſonders für Anbau der Kartoffel, des
Klees und der Runkelrübe heilſam gewirkt.

Dem Anbau der Brache mit Hack- und andern
Früchten ſtanden vieler Orten, außer der Weitläuftig-
keit der Felder, womit der würzburgiſche Bauer meiſt
geſegnet war, die Gerechtigkeit der Viehhut, des Zehn-
tens entgegen.

Bei jeder Schule wurde ein Muſtergarten für Ge-
müſe und Behandlung der Baumzucht errichtet. Franz
Ludwig ſtellte, wo die Mädchen nicht ausſchließlich von
Schullehrerinnen unterrichtet wurden, für die Mädchen
beſondere Arbeitslehrerinnen an, meiſt die Frauen der
Schulmeiſter, für Nähen, Spinnen, Stricken; in dem
bei jeder Landſchule anzulegenden Induſtriegarten ſollten
die Schüler in der Kultur des Bodens, in der Kenntniß der Garten- und Futterkräuter, in der Wiſſenſchaft,

8 *

Bäume zu setzen, zu beschneiden, zu pflegen, in Bie-
nenzucht und Hopfenbau jedem Geschlecht entsprechend,
unterrichtet werden. Weniger wollte es mit den
von Franz Ludwigs Nachfolger auch auf dem Lande
eingeführten Industrieschulen gehen. Die Kinder sollten darin etwas verdienen und es lebt noch mancher
Professor oder Geistlicher in und bei Würzburg, welcher von daher das Stricken versteht. Allein nur in
wenigen Orten hat sich daher eine Industrie fortge-
pflanzt, z. B. das Stricken mit Glasperlen. Die
Weibspersonen, welche später vom Lande auf Gemeinde-
kosten, wie die Hebammen, in das Industrie-Lehrerin-
nen-Seminar nach Würzburg geschickt werden mußten,
lernten in der Stadt meist etwas ganz Anderes; sie
brachten oft liederliche Sitten mit auf das Land zurück.

Auch für die Landmädchen, welche, ihrer 1500 an
der Zahl, als Dienstmägde in die Stadt versetzt,
oft ihren Lohn und ihre Jugend wie taumelnd und
geblendet in Liederlichkeit vergeudeten, wurde besonders
dadurch gesorgt, daß an den Sonntagen, eigens für
sie, zu Stunden, wo sie am wenigsten Abhaltung hatten, populäre Standespredigten eingerichtet wurden.
Der 86jährige Stadtrath und Kaufmann A. J. Hue-
ber machte 1794 für 12 alte ledige Dienstboten, weib-
lichen Geschlechts, welche 20 Jahre bei Bürgersleuten
in Würzburg treu, fleißig und unbescholten gedient
hatten, eine Stiftung. Franz Ludwig ließ ihm auf
seine eignen Kosten über dem Eingange des dazu bestimmten Hauses ein Denkmal errichten. In demselben hatte jede dieser Pfründnerinen ein eignes warmes
Zimmer, wurde gut ernährt und gepflegt, und erhielt

noch jeden Monat „zur Ergötzung", um des Stifters eingedenk zu seyn, einen Reichsthaler.

Als Zufluchtsort für verführte Mägde, um Kindermorde und Kinderaussetzungen zu verhindern, wurde, verbunden mit der Hebammenschule, in Würzburg ein Entbindungshaus errichtet. Daß aber der Liederlichkeit damit nicht vorgespannt wurde, bezeugen Zahlen. Nach dem Verfasser der Pfarrmatrikel zählte Würzburg vor 1779 bis 1802 nur 26, in dem gleichnamigen Zeitraum von 1802 bis 1824 aber 81 uneheliche Geburten.

Am Waisen- und Armenkinderhaus war 1688 nach französischem Brauch (jedoch unter den Augen einer Schildwache stehend) zu Verhinderung des Kindermordes eine Winde nebst Glöckchen für auszusetzende Kinder angebracht worden, wovon aber wenig Gebrauch gemacht worden war. Franz Ludwig ließ die Winde wegnehmen und zumauern. Es ist wohl möglich, daß von Heß nicht ohne Ursache dem Haus für Findelkinder (ihrer 30) in Bamberg mit Recht nachsagt, daß wohl für Nahrung, für Unterricht, Gebet, Arbeit, aber nicht für erheiternde, kräftigende Spiele, nicht gehörig für Reinlichkeit gesorgt war. Wie jetzt noch in der Schweiz, galt damals der katholische Theil von Deutschland für weniger reinlich. In den Krankenhäusern von Würzburg und Bamberg war auch in diesem Stück nichts zu vermissen.

Ein besonderes Verdienst erwarb er sich durch Reform und Hebung des 1695 errichteten Arbeitshauses, wodurch er für Arbeitsscheue und Arbeitslose sorgte und seiner Armen-Polizei den Schlußstein aufsetze. Früher war hier Wollenmanufaktur getrieben worden; der geheime Sekretär und Referendär des Fürstbischofs Karl Philipp v. Greifenklau (von 1749 bis 1754), nachmaliger kaiserlicher Gesandter in Regensburg, Baron von Borie hatte sich darum verdient gemacht; allein das Unternehmen war nicht von Dauer gewesen, weil die städtischen Krämer die hier gefertigten Arbeiten in einen übeln Kredit zu bringen wußten.

Ein weiterer Grund des Verfalls war, daß man nach und nach auch grobe Verbrecher in das Werkhaus steckte. Sich dadurch entehrt fühlend, zogen sich die freiwilligen Arbeiter zurück.

Im Jahr 1787 ließ Franz Ludwig die groben Züchtlinge von den (mehr oder weniger) freiwilligen Arbeitern absondern, die Gebäude erneuern und erweitern. Als Quanti 1780 die Arbeiten des Hauses als Faktor übernahm, bestand das ganze Inventar, an Geräthschaften, Waaren, Ausständen aus 28,478 Gulden. Vom 1. August 1780 bis Ende März 1786 lieferte die Anstalt an die Landeskasse für 159,903 Gulden Waaren, verkaufte im Detail für 42,259 Gulden, den Ertrag der wichtigen Strumpfweberei ungerechnet. Das Vermögen des Hauses hatte sich dabei auf 67,797 Gulden gehoben. Denn — die rechten Grundsätze und der rechte Mann hatten sich zusammengefunden. Das ist das Geheimniß von allen solchen Unternehmungen.

Im Arbeitshause zu Bamberg ließ der Fürst auf eigene Kosten 1280 vervollkommnete Räder mit doppelten Spulen machen. Unvermögende Tuchmacher konnten hier die Wolle zum Ankaufspreis erhalten und durften ihn erst bezahlen, wenn sie ihre damit gefertigten

Waaren absetzten. Einer unserer Augenzeugen erzählt uns über diese Bamberger Anstalt:

Vor einigen Jahren ward im Arbeitshause eine Spinnstube angelegt, wo Kinder und erwachsene Arme im Baumwollspinnen Unterricht erhielten. In den ersten Jahren bestand dieß wohlthätige Institut aus 522 Lehrlingen beiderlei Geschlechts. Jetzt hat diese Spinnschule aufgehört, nachdem der beabsichtigte Zweck dadurch erreicht worden, denn 1200 Menschen ernähren sich der Zeit in ihren Wohnungen von dieser Arbeit. Die Anstalt wird für Rechnung des Fürsten getrieben, der den Einkauf der rohen Fabrikate, wie den Verkauf des Bearbeiteten besorgen läßt. Die ganze Einrichtung kostet kaum 3000 Gulden, und schon werden mit dem kleinen Kapital von 6317 Gulden, nach Abzug aller Kosten jährlich 790 Gulden gewonnen, und 1200 arme Menschen ernährt. Das Land würde einen weit größern Vortheil von dieser Anstalt ziehen, wenn das gewonnene Garn im Lande selbst verwebt würde. So aber kauft der Hamburger und Elberfelder Händler das rohe Garn, läßt es in Sachsen verweben, in Hamburg drucken, und verkauft dem Bamberger sein von ihm erhandeltes Garn, in Kattun verwandelt, nicht ohne guten Gewinnst wieder. Erlaubte Bamberg den Ketzern, in seinem Weichbilde zu wohnen, die Einwohner würden bald ihre jetzt an Fremde überlassenen Fabrikate in ihren Ringmauern selbst sich zu den bunten Röcken und Contuschen verwandeln sehen, die sie jetzt vom Auslande erhandeln müssen."

Die etwa 30 Stiftungen im Hochstift Würzburg, worunter besonders der Julius-, der Bürger- und der

Hof-Spital in der Residenz besaßen Millionen. Durch gute Verwaltung und Entfernung der hohen und niedrigen Schmarotzer hoben sich unter Franz Ludwig ihre Kapitalien um 100,000 Gulden, während die Zahl der Pfründner um ein Viertheil sich vermehrt hatte.

Mit dem Juliusspital wurde ein Institut für kranke Kaufmanns- und Handwerks-Gesellen verbunden. Veranlassung dazu gab 1779 der Hutmacher J. Heldenreich, dem ein Geselle in dem engen Hause erkrankte, und der sich nun erinnerte, was für Anstalten er auf seiner Wanderschaft gesehen hatte. Er wandte sich mit seinen Ansichten an Franz Ludwig; Stadtrath Endreß förderte sie. Jede Zunft lieferte in den Verwaltungs-Ausschuß einen Deputirten, der die wöchentlichen Auflagen bei den Zusammenkünften einzog, von den Handwerks-Gesellen 1, von Handlungs- und Chirurgen-Gesellen $1^1/_2$ Kreuzer. Sie konnten ohne Unterschied der Religion in den Verein aufgenommen werden. Erkrankte ein Geselle oder Lehrjunge, so machte der Deputirte seiner Zunft dem Oberkassier die Anzeige; von diesem erhielt er einen gedruckten Aufnahmschein und zeigte es den Aerzten an. Auf das Gutbefinden der Aerzte wurde der Kranke in das Juliusspital gebracht und gegen tägliche 25 Kreuzer rheinisch aus der Vereinskasse gepflegt, genährt, von den besten Aerzten mit Heilmitteln aufs Beste besorgt. — Das Auge und die rechte Hand des Fürstbischofs, bei allen diesen Anstalten zum Schutz der Gesundheit und damit auch des ehrlichen Erwerbs der dienenden Klassen, war sein trefflicher Leibarzt Marcus, welcher aus Norddeutschland, dem Waldeckischen, stammte, dem

er auch sein Leben anvertraute, ohne sich durch Andere
irre machen zu lassen. Als Vorstand des Medicinal-
wesens in beiden Landen entwarf Marcus namentlich
auch den Plan zu dem Krankenhaus in Bamberg.

Zur Eröffnung der Anstalt schickte Franz Ludwig
einen vollen Beutel. Von 1786 bis 1794 waren in
Würzburg 1536 Kranke so verpflegt worden mit einem
Kostenaufwand von 9839 Gulden, von diesen meist ge-
fährlich Kranken waren nur 32 gestorben und die Anstalt hatte 4537 Gulden im Zins. — Ganz ähnlich
war es in Bamberg, wo Franz Ludwig in einer der
herrlichsten Lagen ein Krankenhaus für Handwerks-
Lehrlinge und Gesellen, das später auch die Dienstboten aufnahm, baute. Diese zahlten vierteljährlich
15 Kreuzer an die Kasse. Im ersten Jahre wurden
307 Kranke aufgenommen, wovon 246 genasen. Als
unheilbar wurden sechs entlassen, wie denn auch keine
mit unheilbaren Krankheiten Behaftete aufgenommen
werden sollten. In der Kur blieben 37; gestorben
waren 25; also starb nur etwa der 12te. Von 1789
bis 1797 wurden verpflegt 7262, und es starb nur der
30ste Theil. Alles war solid, aber einfach, zweckmäs-
sig. Die Inschrift des Gebäudes lautete: „Der Nächstenliebe gewidmet, das ist: Krankenspital für leidende
Menschen 1787." Sein daran angebrachter Name und
sein Wappen mußten auf Befehl des Fürsten wieder entfernt werden. Den Platz hatte er ganz aus seiner
Privat-Schatulle gekauft, so auch den Bau großentheils getragen; die Bürger, ohne Ausnahme, besonders die Handwerksleute von Bamberg hatten aber auch
gewetteifert in der Ausstattung. Mit Stolz zeigten sie

jedem Fremden dieses ihr Krankenhaus. Im Jahre 1788 kam im Würzburgischen auf 8 Meister noch nicht 1 Geselle. Den Zünften aber wurde verboten einen als Gesellen auszuschreiben, ehe er ein Zeugniß über seine Religionskenntniß, über Schreiben, Lesen und Rechnen vorlegte. Damit wurden die Lehrburschen genöthigt, von den für sie eingerichteten Schulstunden Gebrauch zu machen. In Bamberg wurde namentlich im Zeichnen den Lehrlingen gründlicher Unterricht gegeben.

Unsere Zeit ist — zumal in den Städten — viel humaner. Sie behandelt zum Theil aus einfachen Verhältnissen heraus mannigfaltigen Versuchungen entgegengestellte Knaben schon als Helden und Weise, welche ja darum der Zucht der Schule und oft auch des Meisters ledig sind.

Die Aufklärer damals warfen den geistlichen Landen und namentlich auch unsern Hochstiftern vor, daß die Industrie niedergehalten werde. Allerdings ist es eine ihrer Schattenseiten, daß schwer ein Bürgerstand hier aufkommen konnte, welcher die geistigen Mittel zum großen Betriebe hatte. Aber das kam nicht von einigen Thesen bei theologischen Disputationen her, worin Verachtung zeitlicher Güter ausgesprochen war, sondern von dem Adels-, Günstlings-, Bedienten-Regiment. Man war mehr für Zusammenhalten des Besitzes, als für raschen Erwerb und Verbrauch. Der Handwerkerstand war im Würzburgischen so übersetzt, daß es 16,231 selbstständig Gewerbtreibende, im Jahr 1788 1 Gewerbtreibenden auf 16 Seelen zählte, während im jetzigen gewerbefreien Preußen Einer auf 18 Seelen kommt. Denn trotz alles Zunftwesens mußte sich, da das Grundeigenthum meist in festen Händen und viel in Gestalt von großen Pachtungen war, die Uebervölkerung auf das Handwerk werfen. Daß aber in den geistlichen Staaten nicht auch das Heil in Steigerung der Bevölkerung gesucht wurde, verdankten sie nicht sowohl der höheren socialen Weisheit, als dem Cölibat der Regenten, Kapitel, Aebte und Geistlichen.

In welchem Geist und Sinn Franz Ludwig alle diese Anstalten stiftete, prägt sich in folgenden Worten aus, die einer bei Einweihung des Bamberger Krankenhauses 11. Nov. 1789 von ihm gesprochenen Rede entnommen sind:

„Von der ersten Stunde an, wo ich zur Regierung gekommen, hegte ich den Grundsatz, der Fürst sei für das Volk da, und nicht das Volk für den Fürsten. Bei dem Antritte meiner Regierung habe ich mir daher ein System gemacht, solche Einrichtungen und Anstalten zu treffen, die das Wohl meiner Unterthanen befördern möchten. Ich muß hier das öffentliche Geständniß ablegen, daß ich nur wenige meiner Pläne bis dahin ausgeführt habe. Meine oft sehr schwankende Gesundheit, gewisse Aengstlichkeiten, die von meinem physischen Zustande herrühren, die meine guten Entschlüsse öfters vereiteln, haben mich gehindert, viele zum Wohl meiner Unterthanen entworfene Pläne auszuführen. Fristet Gott mir aber meine Tage noch länger, und befestigt meine Gesundheit, so hoffe ich das zu Stande zu bringen, wovon ich überzeugt bin, daß es das Wohl meiner Unterthanen befördern wird.“

Nach dieser Rede begab sich der Fürst in die Krankensäle, er trat, freundlich sprechend, an jedes Bett; die

Kranken dankten ihm mit aufgehobenen Händen. Der
Fürst trug einem jeden seine Portion Speise zu. Da
nun den Kranken befohlen war, die heiße Schüssel nicht
eher auf ihr Tischlein zu stellen, bis sie das Tischtuch
darüber gebreitet hätten, so ließen einige Akkurate ihn
solang die Schüssel halten, bis dieß geschehen war. Er
that es auch geduldig.

Das Testament Franz Ludwigs ist ein Sigel
auf sein ganzes Wirken. Er hatte einen schönen Theil
seiner Schatullgelder bei Lebzeiten an die Armen- und
Kranken-Anstalten gegeben. Das Wenige, was davon
übrig blieb, sollte zu zwei Dritttheilen an das Krankenhaus in Würzburg, ein Dritttheil an das zu Bamberg fallen. Von seinem Bruder Lothar Franz Michael, kurfürstlich mainzischem Obrist-Hofmeister und
Malteserritter, hatte er eine Erbschaft von 50,000 Gulden anzutreten; davon sollten 30,000 zu gleichen Theilen an die beiden Krankenhäuser fallen. Er empfahl
sie noch besonders seinem Nachfolger mit der Erklärung, es sei gegen seine Absicht, daß das für annoch
heilbare Kranke allein bestimmte Spital in ein Pfründ-
ner-Spital umgewandelt, und überhaupt unheilbare
Kranke darin aufgenommen werden.

Die übrigen 20,000 Gulden sollten den Schul-
fonds beider Länder zufallen. Seinen Nachfolgern empfahl er namentlich auch seine Schulanstalten: „Ich
kann mir um so mehr die Gewährung meiner Bitte versprechen, je fester meine innerliche Ueberzeugung ist,
daß meine Schulanstalten der Religion und Sittlichkeit nicht nur unnachtheilig, sondern untrügliche Mittel zu Erhaltung und Verbesserung derselben seien und

ich überhaupt den Grundsatz befolgt habe, daß neben Aufklärung des Verstandes, vorzüglich auf Religion und Sittlichkeit in den Schulen gesehen werde." Das galt den bigotten Gegnern des Volksunterrichts! Für Klöster stiftete er nichts; mit seiner Beerdigung sollte es nach dem Herkommen gehalten werden, er befahl daher auch 1000 Seelenmessen zu lesen und setzte für jede 6 Batzen aus. Den beiden Kathedralkirchen mußte er nach dem Herkommen einen Kirchenornat vermachen, bestimmte aber, daß er nicht über 500 Thaler kosten solle, legte den Domkapiteln aber den Wunsch nahe, darauf, als auf etwas Ueberflüssiges, zum Besten der Spitäler zu verzichten.

Was er überhaupt von Eigenthum und Stiftungen dachte, wie fern er auch von dem über seine Zeit hereinbrechenden Kommunismus war, der zuerst von Oestreich, dann wilder von Frankreich aus seinen Lauf nahm, mag aus Folgendem erhellen:

Als der fürstliche Menschenfreund die wohlthätige Erweiterung des von seinem unsterblichen Onkel, dem Fürstbischof Julius, gestifteten Spitals unternahm, das im Jahr 1791 seine Vollendung erhielt, auch mit der Stiftung eines ähnlichen in Bamberg zu errichtenden umging, schlug man ihm vor, nach dem Beispiele seines Onkels Julius, so wie des Kaisers Joseph II., sofort einige Klosterstiftungen für die bessere Dotirung dieser Spitäler zu verwenden, die Geistlichen eines reich fundirten Klosters in das Juliusspital zu verpflanzen, ihnen die Seelsorge über die Spitalbewohner und den Gottesdienst zu übertragen; dadurch würden die Besoldungen für einen eigenen Spitalpfarrer mit

2 Kaplänen erspart, und dem Fonde ein bedeutender Zuwachs verschafft werden. — Bemerkenswerth ist die Antwort des Fürsten darauf: „Mein Onkel Julius lebte in andern Zeiten als wir. Damals entliefen die Mönche ihren Klöstern, nahmen mit, was sie haben konnten, um zu heirathen — oder protestantische Waffengewalt vertrieb sie, und bemächtigte sich des Klosterguts zu feindlichen Zwecken. Um nicht Alles den Feinden zu lassen, nahm Julius den Rest, und verwendete ihn so gut er konnte. In diesem Falle sind wir jetzt nicht. Was die gleichzeitigen Säcularisationen Joseph II. angeht, so sind wir mit Friedrichs II. Grundsatz einverstanden, den er in seinen nachgelassenen Werken (1788) an d'Alembert (tom. XII.) ausgesprochen hat [1].“

„Jeder Eingriff eines Regenten in die Eigenthumsrechte seiner Unterthanen ist ein zerstörender Angriff auf die Grundfeste des Staatsgebäudes. — Sind denn die Besitzungen der Stifte und Klöster nicht auch Eigenthum meiner Unterthanen? Hatten die Stifter derselben nicht das Recht, über ihr Eigenthum zu disponiren? Wenn sie es nun nicht dem Staate zur willkührlichen Verfügung, sondern einer Kirche, einem Kloster oder irgend einer milden oder religiösen Stiftung übergeben wissen wollten, mit welchem Rechte kann sich ein Staat die eigenmächtige Verfügung darüber anmaßen? Wenn ich über mein Vermögen einen Erben

---

[1] Die Stelle in den Werken des großen Friedrich heißt wie folgt: Der Kaiser fährt mit seinen Säcularisationen unaufhaltsam fort. Bei uns bleibt jeder was er ist; heilig ist mir jedes Eigenthumsrecht, auf welchem die Gesellschaft beruhet u. s. w.

einſetze, der ein Trunkenbold iſt, von welchem man vor-
ſieht, daß er es nicht gut anwenden werde, kann der
Staat deßwegen die Erbſchaft einziehen? — Einen Cu-
rator kann man ihm geben; nöthigen kann man ihn
durch ſtrenge Aufſicht, ſein Vermögen nicht zu geſetz-
widrigen Handlungen zu mißbrauchen, aber entziehen
und ſich zueignen darf es der Staat nicht. Was iſt
für ein rechtlicher Unterſchied zwiſchen einem Individuum und einer Corporation, die aus mehreren Individuen beſteht, und ſo als ein beſitzendes Ganzes für
Eine rechtliche Perſon gilt? Wer gibt dem Fürſten
das Recht, das jenen auf rechtlichem vom Staate ga-
rantirtem Wege zugekommene Eigenthum ihnen zu rau-
ben, und eine andere ·profane Beſtimmung ihm auf-
zubrängen. ?"

Bei Gelegenheit einer viel Aufſehen erregenden
Uneinigkeit in einer gewiſſen Benedictinerabtei äußerte
er gegen die Vorſtände: Nöthigen Sie mich nicht, von
dem Gebrauch zu machen, wozu ich ſchon Vollmacht und
Aufforderung unter meinen Papieren habe, deren Ausführung aber ich meinen Nachfolgern überlaſſen möchte."

Was hat Franz Ludwig durch ſeine in dieſem
Geiſte und mit dieſen Mitteln begründeten und verfolg-
ten Armenanſtalten geleiſtet? welches Gute hat er gethan? wie viel Uebel verhindert?

Wer will das überſchlagen? Durch die Unmög-
lichkeit einer auch nur annähernden Berechnung, und durch
den Undank iſt gerade genug dafür geſorgt, daß wir
uns ſolcher unſerer Werke nicht überheben, uns kein
Lotterkiſſen daraus machen. Nicht einmal das, was man
ſo: „lernen" heißt, läßt ſich durch ſolche Werke und

und ihre Darstellung viel erzwecken. Der beste Erfolg
davon ist, so wenig die Erfahrung auch hier zu unter-
schätzen ist, — der beste ist und bleibt: wenn der Wille
des Betrachtenden dadurch geweckt und gestählt wird.
Wir Deutschen besonders haben uns zu hüten, daß
wir die Lumpen, welche wir dem Armen abnehmen,
nicht sogleich wieder in Druckpapier verwandeln.

Mit den Armenanstalten ist es überall und zu
allen Zeiten dasselbe: sie sind keine Wissenschaft, die
Breite-Bettelsuppen-Philanthropen mögen es gestehen
oder nicht — es kommt auf die kräftige Ausführung einfacher Gesetze durch die Lokalbehörden, auf
deren Unterstützung durch das Publikum an. Da aber
bald wieder durch die Schuld der Geber, wie der Armen, Erschlaffung eintritt, so ist es wie bei den Bettelorden, denen ihre einfachen Regeln immer wieder
eingeschärft werden müssen, damit sie nicht vergailen.
Hier gilt besonders Prediger 1, 8 — 10. So wird
auch über die Armenkommissionen wie über die Land-
induftrieschulen Franz Ludwigs noch kein Jahrzehnd
nach seinem Tod geklagt, daß sie aus Mangel an ge-
höriger Aufsicht der Pflege in zunehmendem Verfall
seyn. (Im ganzen Hochstift Würzburg werden 1798
zusammen 3938, dem Institut einverleibte Arme gerechnet). Ein genauer Kenner schreibt darüber 1804:
„Die ungeschminkte Wahrheit empfinden gewisse Leute
gerne übel; aber es liegt ihnen ob, nicht durch Weit-
läuftigkeit und Wortgepränge, sondern durch Thatsachen das Gegentheil zu beweisen.“

Noch nachdrücklicher spricht ein Anderer wenige
Jahre nach Franz Ludwigs Tode, wohl weil damals

das Streben des Schöpfers dieser Anstalten noch in
frischer Erinnerung war: „Nur ist zu wünschen, daß
immer alle Armenpolizei - Kommissionen ihren Zweck
erfüllen und nicht durch niedrige Privatleidenschaften
und Habsucht der besten Absicht entgegenhandeln."

Das Armenwesen ist nichts Abgesondertes; es ist
der Schatten des ganzen Volks; nur in und von einer
kräftigen Nation kann den Quellen der Armuth mit
Hilfe nahe gerückt und die so nothwendige Zucht nachhaltig geübt werden.

14) Erörterungen zwischen Franz Ludwig und Rochow über Staatswirthschaft und Aufklärung.

Bei Gelegenheit der Preisschriften über Armenwesen und über die Betheiligung der Geistlichen daran
und überhaupt an dem leiblichen Wohlseyn ihrer Ge-
meindegenossen entspann sich ein schriftlicher Verkehr,
der unsern Fürstbischof und seine Regierung charakterisirt. Derselbe berührt die meisten Punkte der jetzigen socialen Frage, soweit sie von praktischer Bedeutung
ist, und der Regierungsweisheit.

Franz Ludwig hätte gerne nicht nur Recensionen
dieser Preisschriften gelesen, sondern auch das Gutachten eines Fachverständigen, nämlich des Verfassers des
Versuchs über Armen - Anstalten und Abschaffung aller
Bettelei. Dieses war der thätige Kämpfer für praktische Aufklärung, der evangelische Domherr zu Hal-
berstadt und Erbherr auf Reckfehn im Brandenburgi-
schen, der Verfasser des Kinderfreunds, des Katechis-
mus der praktischen Vernunft, Friedrich Eberhard von

Bernhard, Franz Ludwig.   9

Rochow. Dieser nahm das ihm übersandte Exemplar nur für eine Buchhändler-Empfehlung, um eine gute Recension herauszuschlagen. Rochow gab erst auf das zweite Schreiben der von Franz Ludwig beauftragten Mittelsperson einen Bescheid, dazu einen kurz ange- bundenen, worin er von schlechtem Unterricht in „Kir- chen und Schulen, von hoher Beschatzung (Steuer)" sprach und rieth: „ändert die Gesetze, sprecht eure Un- terthanen selbst."

Der Fürstbischof verfaßte nun eigenhändig an Ro- chow eine auf die einzelnen Punkte eingehende Ant- wort [1]), worin er nun die Veranlassung auseinandersetzt, wie ihm schon lange aus einem oder andern treffli- chen Werke der Name des H. v. Rochow rühmlich be- kannt gewesen sei, er habe daher Auftrag gegeben, dem- selben die Preisschriften in seinem Namen und mit dem ausgesprochenen Wunsche zu übersenden, daß er das Urtheil v. Rochows von deren innern Gehalt und Werth zu seiner Zeit gern vernehmen möchte. Er könne nicht ganz bergen, daß ihm das Antwortschreiben etwas un- verhofft gewesen, indem es einigermaßen das Ansehen gewann, als wenn die Uebersendung der Preisschriften nicht so gut, als es gemeint war, aufgenommen wor- den sei."

Besonders hatte es den Fürsten in der Antwort empfindlich berührt, daß es von seinem Lande hieß, daß „von zehn Individuen eins bettle." Er erwie- dert daher zuerst darauf: Der Himmel bewahre mich, zu erleben, daß der Zustand meiner beiden Lande so

1) Dieselbe findet sich vollständig in den bayrischen Anna- len 1832 von N. 40 an.

herunter finke! Dermalen ist in jeder meiner beiden Residenzstädte Bamberg und Würzburg bei einer Seelenzahl von respektive 20 und 21,000 die Verhältniß diese: daß auf 20 Seelen etwa 1 Armes gerechnet werden kann; auf dem platten Lande ist das Verhältniß im Durchschnitte beiläufig 1 gegen 40, auch wohl 42 oder 44. Es sind Gegenden, wo auf 50 auch 60 Seelen erst 1 armes Individuum gerechnet werden kann. Ich glaube es auf genaue Prüfung eines jeden auswärtigen Unbefangenen ankommen lassen zu können, ob nicht in meinen beiden Landen, besonders bei dem Landmanne, Reinlichkeit und der demselben angemeßne Wohlstand im Durchschnitte gegen eigentliche Armuth sehr überwiegend sei." Reiche Spenden seyn nicht vorhanden, die Spitäler seyn meistens untersucht und zum Theil reformirt worden, zweckwidrige Vermehrung des Fonds der Armenhäuser werde nicht begünstigt. Man sei nicht gemeint, das Arbeiten vom Beten zu trennen.

Ad 3 und ad a, „schlechter Unterricht in Kirchen und Schulen." — „Ist wenigstens im Durchschnitt der Fall in meinen Landen nicht. Diejenigen, welche sich dem seelsorgerischen Stande widmen wollen, werden nach strenger Prüfung der Berufseigenschaft mit möglichster Vorsicht ausgewählt, 3, 4 auch 5 Jahre sorgfältigst gebildet, dabei auch, was die von Manchen (Rochow) so hoch gepriesene, von Andern aber so sehr herunter gesetzte Aufklärung betrifft, in die Mittelstraße eingeleitet. — Aehnliche Bewandtniß hat es mit den Schullehrern, die besonders zu ihrem Amte gebildet werden. Wenn dahero und wegen der steten Aufmerksamkeit, die Stadt- und Land-, Trivial- auch

9 *

Mittelschulen nicht unter die besseren von Deutschland gehören sollten, so gehören sie doch gewiß unter die guten."

„Aendert die Gesetze", hatte v. Rochow geschrieben! — Dieß sei durch das Verdienst seiner Räthe und Beamten, besonders in Polizeisachen, theils geschehen, theils werde immer noch daran gearbeitet. „Jedoch bin Ich mit Meinen Räthen und sie mit Mir ganz einverstanden, daß darunter mit Vorsicht und reifer Ueberlegung zu Werke zu gehen sei, weil vermäßigte Widerrufungen und gegründeter Vorwurf unausführbarer Verordnungen den Glauben und das Vertrauen, welches ein Landesfürst zu erhalten suchen muß, ungemein schwächen." Wohl möge es seyn, daß „mehr als eine Quelle der Armuth coexistire; allein manche sei lokal, andere möchten wohl auch in Landen von der besten Verfassung nicht ganz gehoben werden können. Dahingegen sind einzelne erheblicher; darunter gehört z. B., das in einem Staate, der nicht militär ist, zu wenig beschränkte Verheirathen der sehr unbemittelten Leute und das daher in den Landesgesetzen zu gering bestimmte quantum connubiale (dazu nothwendige Vermögen), wiewohl Viele dawider einwenden dürften, daß das Heirathen nicht eingeschränkt werden sollte. Ferner Mangel genugsam bestimmter Gesetze gegen Verschwender und Schwelger, Uebersetzung der Handwerker, zunehmender Luxus unter dem Landvolke; die beträchtlichste Quelle der Armuth aber ist der wucherliche Viehhandel der Juden." Es sei wegen der großen Vermischung der bambergischen Lande besonders mit fremden Herrschaften diese Quelle nicht ganz zu verstopfen.

Die Juden waren indeß nur die Blutegel, welche zum Nutzen des Domkapitels das Landvolk aussaugten. Das Domkapitel regierte je vom Tode bis zur Wiederwahl eines Bischofs. Den 23. Februar 1673 hatte es nach dem Tode des wackern Fürstbischofs Johann Philipp allen Juden im Lande den Schutz aufgekündigt und sich sehr ernstlich dabei angestellt. Der Zweck wurde erreicht; die Juden waren genöthigt, den Schutz von Neuem einzulösen. Von dieser Zeit an mußten die Juden bei jeder Zwischenregierung des Kapitels demselben den erneuten Schutz mit 2700 Dukaten bezahlen. — „Die Juden, sagt ein Würzburger um 1800, wurden wie überall gehalten, d. h. sie werden für öfter zur Schur reif gehalten, als die Schafe. So war es nicht zu verwundern, daß sie Wucherzinse nahmen. Es stand aber nicht in der Macht des Fürstbischofs, die Rechte des Domkapitels während einer Erledigung des fürstbischöflichen Stuhls zu beschränken. Er hatte sie ja in seiner Wahlkapitulation vor dem Regierungsantritt beschwören müssen. So blieben sie gedrückt und geschätzt als die Blutsauger der Bauern zum Besten des Adels."

„Sprecht eure Unterthanen selbst." — Der Fürstbischof erwiederte: „Auf sehr viele und uneingeschränkte Vorlassung zu mündlichem Vortrage der Klagen und Beschwerden lege Ich keinen besonders großen Werth, indem Ich schon genug erfahren habe, daß man bei einem sehr großen Zeitverlust doch wenig auf den Grund der Wahrheit komme und mit Unwahrheiten und Verläumbungen sehr mißbraucht werde." Dagegen könne jeder seine Klagen und Noth schriftlich an ihn bringen,

„welches auch häufig geschieht, mehr aber mit allerlei Begehren, als mit eigentlichen, zumal sehr erheblichen und gegen Bedrückungen obrigkeitlicher Personen gerichteten Klagen."

Rochow hatte von der Regierung „gemeinnützigeres Regierungssystem" verlangt, ferner von Aufrichtigkeit und Offenherzigkeit gesprochen. Der Fürst schließt darauf sich beziehend sein Schreiben: „Dieß ist mir immerhin sehr willkommen und es wird mir hinfort sehr lieb seyn, wenn von derselben auf den leicht möglichen Fall ein weiterer Gebrauch gemacht werden wollte, daß bei dem bisher diesorts Angeführten etwas zu erinnern, daran auszustellen, oder doch sonst anzurathen wäre. Dieß sind also die Erläuterungen, die Ich aus besonderer Schätzung der Verdienste des Domherrn von Rochow auf das Schreiben an den Stadtgerichts-Assessor Göbhard gern selbst geben und selbst niederschreiben wollte.

Bamberg, im Januar 1791."

So schrieb damals [1]) ein katholischer gedoppelter Fürstbischof an einen protestantischen Domherrn und Schriftsteller [2]).

---

1) Wir haben das Schreiben etwa um die Hälfte abgekürzt.

2) Rochow antwortete hierauf gerührt und voll Anerkennung, bringt aber im Schulwesen auf das apostolische Wort: Verstehest du auch was du liesest? — Christus sei auch als Aufklärer verschrien worden. „Nun sind es 20 Jahr, daß, Gott sei allein die Ehre! meine Landschuleinrichtungen auf meinen Gütern, ohne Abänderung von außen oder innen bestehen. Aber noch keinen Augenblick fand ich Ursach, die vollste Aufklärung zu bereuen, die ich meinen Schulkindern über Alles, was sie NB. in ihrem Stande wissen mußten', geben lasse. Es wäre thöricht zu be-

Der Domkapitular v. Fechenbach, welcher später
Franz Ludwigs Nachfolger wurde, äußerte über die
ihm mitgetheilte Korrespondenz: In dem Kommentar
(zu den Ausstellungen Rochows, also in Franz Ludwigs obigem Antwortsschreiben) habe ich nebst dem
guten Herzen unseres besten Fürsten und der ihm gewöhnlichen Deutlichkeit des Ausdrucks, die Absicht
zu finden geglaubt, das Vorurtheil gegen Alles,
was von Katholiken kommt, zu bekämpfen
und zu benehmen." — Gab es, gibt es ein deutscher Fürsten würdigeres Streben, als Versöhnung
der Konfessionen?

Darum ist es auch doppelt erfreulich, daß sein
Wirken nebst seinen Unterthanen bei Protestanten besonders Anerkennung fand und daß es protestantische
Reisende besonders sind, deren Schriften wir frische,
edle Züge zu seinem Bilde entlehnen können.

Gerade Meiners rühmt es, daß er nach einigen
Mißjahren 1792 auf seiner Reise von der entfernte-
sten Gränze bis Würzburg nicht ein einziges Mal an-
gebettelt wurde. „Wären die Bauern (Landleute) so
arm, als in manchen benachbarten Gegenden, so würden alle Verbote und Strafen diesen Unfang nicht hindern können." Weiter sagt er: Die Lage des Land-
mannes hat sich unter dem gegenwärtigen Fürsten so
gebessert, daß er ein Gegenstand des Neids der übrigen Stände, besonders des Bürger- und Rathsstandes

---

haupten, daß seitdem hier lauter Engel hausen. Aber merklich
kennbar im Guten ist doch das hiesige Völklein geworden, wobei
auch ich das: Kommet und sehet! ohne Schaamröthe sprechen
kann."

geworden ist. Die Einwohner der Städte beschweren sich, daß der Landmann an ihnen einen schändlichen Wucher übe, indem er seine Produkte nicht eher verkaufe, als bis sie den höchsten Preis erstiegen hätten. (Wie der Fürst diesem Wucher, besonders in Theurung, entgegenwirkte, sahen wir). Auch wirft man den Bauern vor, daß sie allmälig alles baare Geld an sich ziehn und in ihre Kisten einschließen. In den meisten Getreidegauen strecken die Bauern einander große und kleine Summen vor. Die durch den Wohlstand der Bauern erniedrigten Zinse drücken den Städter eben so sehr, als die gestiegenen und immer noch steigenden Preise der Lebensmittel." Da wurde nun also ein kranker Punkt der geistlichen Lande sehr empfindlich, — der Mangel an größeren industriellen Unternehmungen, dem Bürgerstand fehlte bei dem bequemen Leben die Energie des Charakters. Auch diese Residenzstädter befanden sich wohler bei verschwenderischen Regierungen. Sie jubelten zu dem Worte ihres Fürstbischofs, der Fürst sei um des Landes, des Volks willen da; aber ein gut Theil von ihnen hätte es gerne gesehen, wenn er Land und Volk ihnen zur Ausbeutung überlassen und zu ihrer Ueppigkeit ausgebeutet hätte. Nebst den Herrschaften und den Kapiteln waren es die geistlichen Residenzler, welche das Mark des Landes in Ruhe zu verzehren gewöhnt waren.

15) Schulen, Universitäten und Klöster.

Besonders auf die Universität ist zu beziehen, was Meiners schreibt: „In ganz Deutschland kann man keine andere katholische Schule, keine andere Residenz eines geistlichen Fürsten finden, wo das Licht der wahren Aufklärung solange geleuchtet hätte oder auch jetzt noch (1792) heller leuchtete, als in Würzburg. Schon dies ganze Jahrhundert waren die Jesuiten theils durch einsichtsvolle Fürsten, theils durch gutdenkende, weltliche und geistliche Gelehrte nirgends mehr eingeschränkt, als in eben dieser Stadt. Mit der Aufhebung ihres Ordens hörte auch beinahe ihr ganzes Ansehen auf. (Bei der Stiftung der Universität hatte ihnen der Fürstbischof Julius die philosophische und theologische Fakultät übergeben). Vielleicht, fährt der Göttinger Professor fort, leben auf allen übrigen katholischen Universitäten in Deutschland nicht so viele Lehrer, die einen großen Theil ihrer letzten Ausbildung (der protestantischen Universität) Göttingen zu verdanken haben, als in Bamberg und Würzburg [1]), von woher sie fast alle auf das Geheiß des jetzt regierenden Fürsten zu uns kamen. Einem Göttinger Professor ist daher in diesen Städten fast eben so zu Muthe, als wenn er zu Hause wäre. Ein sicherer Beweis der ächten Aufklärung der bambergischen und würzburgischen Gelehrten ist dieser, daß sie gar nicht mit einer stürmischen oder unruhigen Neuerungssucht verbunden ist." Abermals ein Beispiel, wie protestantische Wissenschaft den Eifer bei Abschaffung von Mißbräuchen auch innerhalb der katholischen Kirche mäßigte.

Meiners fährt fort: „Ungeachtet die Universität

1) Auch in dem katholischen Fürstbisthum Speyer war es wenigstens um diese Zeit Sitte, daß irgend vermögliche Eltern ihre Söhne, wenn sie talentvoll waren, auf einige Halbjahre noch nach Göttingen schickten.

Würzburg ihren alten Ruhm mit Nachdruck behauptet, so hat sie doch dieses mit den übrigen geistlichen Residenzen gemein, daß das schönste Licht und die dickste Finsterniß auf derselben viel greller mit einander contrastiren und viel öfter und näher an einander gränzen, als in protestantischen Städten von gleicher oder ähnlicher Größe. Wahre Aufklärung und gründliche Gelehrsamkeit (Bildung) sind fast ganz allein auf die Mitglieder der hohen Schule und der weltlichen Kollegien aus dem bürgerlichen Stande eingeschränkt. Der Adel, die Ordensgeistlichkeit, der Bürgerstand, das Landvolk sind vielleicht in einigen Gegenden des katholischen Deutschlands schon weiter, als im Bisthum Würzburg, vorgerückt."

Schon unter dem Fürstbischof Friedrich Karl, Grafen von Schönborn, hatte die Universität geblüht, besonders wenn zahlreicher Besuch von Prinzen dieses beweist. Er hatte 1734 eine Universitäts-Ordnung erlassen, auch die niederen Schulen gehoben.

Die Einkünfte der Universität Würzburg schätzt Meiners auf jährliche 30,000 fl. Da die Professoren von geistlichem Stande nur 500 fl. Besoldung hatten und ihre Bücher sich meist selbst anschaffen mußten, vergab der Fürstbischof öfters Pfründen bei den Kollegiatstiftern an sie. Der wackere Erjesuit Egel war ein tüchtiger Professor der Physik, der Franziskaner-Quardian Blank, mit dem Ehrentitel eines Professors der Naturgeschichte, ahmte Gegenstände derselben und Landschaften vermittelst Hölzer, Rinden, Kräuter, erhaben mit merkwürdiger Fertigkeit nach.

Dieses sein Kunstkabinet wurde, wie von allen

Reisepben, auch von den Kaisern Leopold und Franz,
vom König und Kronprinzen von Preußen besucht.

Weniger Gelehrsamkeit und Aufklärung fand sich
auf der Universität Bamberg, weil die Jesuiten hier
mehr geherrscht hatten. Aber die mit ihrer Entfernung
einreißende Studenten-Freiheit hatte auch manche Rohheit hervorbrechen lassen.

Die würzburgischen Chronisten und Biographen
beschrieben mit Recht ausführlich die eilftägigen Fest-
lichkeiten, welche Franz Ludwig im Sommer 1782 zur
2ten Sekularfeier der großen Stiftung seines gewaltigen Groß-Oheims Julius beging ¹). Sie galten der
Universität Würzburg. Die europäischen Mutter-Uni-
versitäten Bologna und Paris und viele andere wurden
eingeladen; Bamberg, Erlangen, Fuld, Mainz, Mar-
burg, Rinteln, Salzburg, Trier waren durch Abgeord-
nete vertreten, welche die fürstbischöfliche Gastfreund-
schaft im Geistigen, wie im Leiblichen zu rühmen wußten.
Die protestantische Hochschule in Duisburg bezeugte
dankbar ihre Verwunderung über die Einladung. Unter
den mit und ohne Disputation zum Doktorat Erhob-
nen waren auch Protestanten. Wie er für die Vorlesungen deutschen Vortrag angeordnet hatte, so ging
es bei dieser Feier Manchem zu deutsch zu. Samm-
lungen, Vorlesungen, Räumlichkeiten, legte er in Wür-
burg besonders für die Medicin, für Naturwissenschaften

---

1) Schon Gerhard, Graf von Schwarzburg (von 1374 bis
1400) hatte in Würzburg eine Universität gestiftet, sie ging aber
zu Grunde, während er die Freiheit der Stadt mit bleibendem
Erfolg niederkämpfte.

namentlich den botanischen Garten, das Laboratorium
für Chemie, und eine Thierarzneischule an.

Auch die Universität Bamberg wurde gehoben.

Franz Ludwig ist der Stifter einer eigentlichen
medicinischen Fakultät daselbst, welche sonst in geistlichen Landen, wie in denen des Sultans, nicht recht
gedeihen wollte. Durch strenge Polizei-Gesetze wurde
die Quacksalberei eingeschränkt.

Einen Kanoniker, welcher sich dem Kameralfache
widmen wollte, schickte der Fürst nach Hamburg, um
bei dem bekannten Professor Büsch, dem National-
Oekonomen und Handelsstatistiker, als dessen Hausgenosse sich auszubilden. Er selbst studirte Kant's Schriften. Aus eignen Mitteln gab er dem neuernannten
Professor der Philosophie, Matern Reuß, Benediktiner des Stefansklosters in Würzburg, das Reisegeld,
um Kant in Königsberg zu besuchen, und in persönlichem Verkehr über manches Dunkle in seinem System
sich Aufschluß zu holen. Als besonders auf Anbringen
Caffels beim Reichstage Schritte gegen diese Philosophie beabsichtigt wurden, nahm der Fürstbischof sich der
Freiheit im Vortrag der Philosophie entschieden an.

Die Lehrfreiheit, namentlich auch der philosophischen Fakultät, war natürlich auf einer bischöflichen
Universität von doppelter Schwierigkeit. Wohl um sich
selbst klarer zu werden, trug Franz Ludwig dem Professor der Theologie Berg in Würzburg auf, eine
Schrift: „über die Folgen der Freiheit zu denken und
zu handeln", abzufassen. Berg sprach darin 1785 aus:
die Büchercensur ist gar nicht befugt dem Fortschritte
der Vernunft und der freien Prüfung der Wahrheit

Schranken zu setzen." — „Die Philosophie kann selbst in Beziehung auf die Religion unter keinen andern Gesetzen stehen, als jenen, welche die Vernunft gibt. Jede Einmischung von Gewalt hebt das Wesen der Philosophie auf; wollte man aber sie, die man sich nicht unterwerfen kann, wirklich aufheben, so würde sich ihr Tod rächen; es wäre so viel als: der Vernunft Schweigen gebieten und allen Wissenschaften das Auge ausschlagen. Keine Universität kann ohne Philosophie, keine Philosophie ohne Freiheit bestehen." — An so kühnen Sätzen stießen sich, wie billig, nicht Wenige, die Gnade des Fürsten schien für Berg verloren, denn der Fürst schwieg — aber nur weil er erwog, wie viel davon praktisch zu verwerthen sei. Er ließ Berg ungestört seine Professur nach bestem Wissen und Gewissen versehen. Die etwas leidenschaftliche Leichenrede Bergs für Franz Ludwig wird durch das Feuer der Dankbarkeit entschuldigt, das selten nach dem Tode eines Fürsten großen Schaden anrichtet.

Dagegen theilte er nicht die Nachsicht gegen moralische Gemeinheiten der Studenten, namentlich der vornehmen, welche so manchen Eiferer für Orthodoxie und Kirchlichkeit auszeichnet und ließ die studirende Jugend nicht in jener religiösen Verwahrlosung aufwachsen, welche der bürgerlichen Gesellschaft einen in der Religion proletarischen Beamtenstand aufbürdet, der, weil er selbst laxe Grundsätze hat, unter dem edeln Titel der Humanität entsittlichende Gesetze veranlaßt, oder das Verderben des Volks durch 'eine Nachsicht hegt, die ihm selbst erwünscht seyn muß; sondern der

Fürstbischof ordnete Andachten für sie an, stellte ihnen
selbst Gegenstände ihrer frommen Betrachtung vor.

Was nun aber die berührte Aufklärung anbelangt,
so war ihre Heimath nicht von so langer Zeit her in
Würzburg gewesen. Kaum einige Jahrzehnte vor unseres Franz Ludwigs Regierungsantritt, war eine Hexe
hingerichtet worden.

In der von uns viel genannten Geschichte der
Bischöfe von Würzburg heißt es bei dem Helden der
katholischen Restauration in Franken, Fürstbischof Julius (1573 bis 1617): „Bei den unter seiner Regierung beginnenden Hexenprozessen konnte er leider das
Vorurtheil seiner Zeit nicht besiegen; eine Menge solcher Unglücklichen starb von Henkershand."

Noch während der Gräuel des 30jährigen Kriegs
hatte der Würzburger Professor Friedrich Spee, ein
Jesuite, sich binnen einiger Jahre bei Vorbereitung
einiger hundert Hexen zum Henkertode von der Unschuld
derselben und von diesem Aberglauben überzeugt. Noch
jung, von Gram und Jammer gebleicht, hatte er ge-
wagt, dagegen zu schreiben. Sein Schüler, der Fürstbischof Johann Philipp, ein Schönborn (von 1642 an),
bislang Offizier, hatte dem Unwesen gesteuert, aber
nur vorübergehend.

Maria Renata Singer, Nonne in dem Kloster
Unterzell bei Würzburg, war ganz wider ihr Tempe-
rament, nur der Versorgung wegen, von ihren Eltern
ins Kloster gesteckt worden. Alle Vorsätze ihrer weltlichen Gedanken sich zu entschlagen fruchteten nichts.
Ihr ganzes Dichten und Trachten blieb Jahrzehnte lang
erfolglos darauf gerichtet, aus den Klostermauern in

die Welt zu kommen. Sie bekannte, daß sie sich schon in ihrem siebten Jahre dem Teufel verschrieben habe, der ihr in Gestalt eines Offiziers erschienen sei, indem sie auf ein Blatt Papier mit dem Bild eines Herzens und Vogels und den Worten: „ich bleibe Dir getreu" ihren Namen gesetzt habe. Die geistlichen Untersuchungsrichter hatten ihr die Frage vorgelegt: ob sie nicht glaube, daß die Hexerei viel in der Einbildung bestehe, was sie theilweise bejahte. Sie wurde von denselben den weltlichen Richtern, mit dem Ersuchen übergeben, daß gegen sie, die da seiende arme Sünderin, weder zu einiger Tods-, nach anderer Gliederstümmlungsstraf fürgeschritten werden möge. Allein kraft des Spruchs des weltlichen Gerichts wurde sie 21. Juni 1749 als überwiesene Zauberin enthauptet und dann der Rumpf verbrannt. Sie starb gottergeben; sie hatte, schon etliche und 70 Jahre alt, wegen Schwachheit in die Verhöre und zur Hinrichtung getragen werden müssen. Die Jesuiten und Kapuziner betheiligten sich besonders dabei zu Erbauung des gläubigen Volks. — Sie war beschuldigt, daß sie in ihrem Kloster einige Nonnen, in andern etliche Mönche behext, und des Verstands beraubt habe. Am Tage ihrer Hinrichtung wurden „die besessenen 5 Nonnen in Unterzell aus ihren Zellen in den Garten zum Tanzen geplagt, und vom Satan veranlaßt, zu singen und zu schreien: Der Kaiser hat brave Soldaten, wenn sie bezahlet seind! — Sie sprungen mit diesem Gesang an zusammengehängten Händen untereinander im Garten, als wenn sie thorrecht wären." — Damals war Franz Ludwig von Erthal längst Domicellar und mehrjähriger Student.

Man verbrannte aber seitdem weiter keine desperate,
wahnwitzige Nonnen und Mönche mehr in Franken. Einer
der stärksten Gefängnißthürme von Würzburg heißt im
Munde der Alten noch der Hexenthurm. — Gerade im
Punkte des Volks-Unterrichts unterschied sich Franz
Ludwig scharf von seinem Bruder, dem geistlichen Kurfürsten und Erzbischof in Mainz. Dessen Vorfahrer
Emerich Joseph (gestorben 1774), hatte auch die Volks-
schulen nachdrücklich gehoben. Bei seinem schnellen Tode,
welchen das Volk dem Gift eines Jesuiten-Handlan-
gers in seiner Küche zuschob, brachen Kapuziner und
Pöbel in tollem Aufruhr besonders gegen die Schulen
los. Das Stichwort war der darin getriebne „Chri-
stußspott‟ mit dem Plus- (Kreuz-) Zeichen beim Re-
chenunterricht. Der unter solchen Einflüssen gewählte
Friedrich Karl Joseph von Erthal ließ die Volksschu-
len zerfallen, während er — um den Schein der Aufklärung zu haben, die Universität, und sobald die Zeit
es erlaubte die Maske der Bigotterie abzulegen, das
Theater mit den reichsten Mitteln ausstattete.

Unser Franz Ludwig opferte der Volksschule [1]),
der persönlichen genauen Beaufsichtigung derselben nicht
nur die nöthigen Geldmittel, sondern auch viele Zeit;
er visitirte nicht blos lateinische Schulen persönlich.
Wenn er überhaupt nicht nur die Lehrmethode, sondern

1) Dem Vernehmen nach ist ein dazu sehr befähigter Domherr in Bamberg damit beschäftigt, die Grundsätze Franz Ludwigs über das Volksschulwesen darzustellen. Bis dahin verweisen wir den speciell dafür Interessirten auf den Aufsatz von Meiners:
Geschichte der verbesserten Schulanstalten in der Stadt und dem
Bisthum Würzburg. Im Berlinischen Magazin Bd. II. St. 1.

auch die Schullokale, Wohnungen, die Nahrungsver-
hältnisse der Lehrer zu verbessern suchte und dabei
seine eigne Schatulle nicht schonte, so belohnte er die
ausgezeichnetern Leistungen Einzelner besonders gerne,
um Alle zu ermuntern. Besonders zugethan waren ihm
die im Schullehrerseminar unter seiner genauen Aufsicht gebildeten Schullehrer. Zwar auch sonst häufig,
jedoch besonders um ihren Tisch saßen Knaben, welche
sich als Franz und Ludwig in den Namen des Fürsten theilten. Namentlich suchte er, auch auf dem Lande,
die Mädchen von den Knaben zu trennen und ihnen
Lehrerinnen zu geben; nicht nur um Unsittlichkeit zu
verhindern, sondern da die Bestimmung des Mädchens
und Weibs eine andere sei, so müsse auch ihre Erziehung und die Methode des Unterrichts eine andere
seyn [1]). Besonders viel that er in Bamberg, theils
durch Errichtung eines Seminars, theils von Mäd-
chenschulen im englischen Kloster. Er ordnete für die

---

1) Das Schulhalten durch „Schuljungfern" war damals
auch andernorts, auch in protestantischen Ländern, im Gebrauch,
gab aber zu vielem Aergerniß Veranlassung. In Frankreich beabsichtigte man in den letzten Jahren den ganzen Unterricht der
Mädchen überall durch Jungfrauen ertheilen zu lassen. „Allein
sehr selten vermögen weibliche Naturen beides auf die Länge auszuführen, nämlich eine tüchtige Disciplin in der Schule zu handhaben und zugleich gründlich zu unterrichten. Es übersteigt die
Körperkraft des Weibes. Sie finden sich häufig unwohl; nur in
Näh- und Kleinkinderschulen bewähren sie sich nachhaltig." —
Darum bleibt es jedoch auch jetzt noch wahr, daß in der Volksschule gar zu wenig, ja meist kein Unterschied zwischen der Erziehung und den Lehrgegenständen der Knaben und Mädchen gemacht wird.

Bernhard, Franz Ludwig.   10

herauwachsende Jugend die Sonntagsschule an, wo
z. B. auch Gesundheitslehre getrieben wurde, verbreitete auf seine Kosten unter dem Landvolke zweckmäßige
Schriften, um Aberglauben und Vorurtheile zu zer-
stören.

Sehr wichtig war, daß die Eltern bei Strafe
verpflichtet wurden, ihre Kinder regelmäßig und zwar
nicht nur Winters in die Schule zu schicken. — An
eine Emancipation der Volksschule von der Kirche dachte
der Fürstbischof natürlich so wenig, daß er vielmehr
die Pfarrer verpflichtete, dreimal wöchentlich dem Schul-
unterricht anzuwohnen. Die Schulreformplane des vorhergehenden Fürstbischofs waren durch den Domscola-
ster, Grafen von Ostein, hintertrieben worden. An seine
Stelle ernannte unser Fürst den Dompropst v. Dalberg, damit er seine Pläne durch das Beispiel der
Domschule ausführen helfe. Dalberg war, bis er 1787
zum Coadjutor in Mainz erwählt wurde, Mitglied der
Schulbehörde und seine rechte Hand in diesen Dingen.
Auch der Domdechant v. Fechenbach, später Franz
Ludwigs Nachfolger in Würzburg, nahm sich der Volksschule getreulich an.

Im Fürstenthum Bamberg galt besonders das Be-
nediktiner-Kloster Banz für einen Herd des Lichts, der
Aufklärung. Es lag südlich von den thüringischen Hö-
hen, in einer waldigen Gegend auf einer Anhöhe, unweit der Städtchen Staffelstein und Lichtenfels; auf
einer Höhe gegen Osten wetteiferte mit ihm der berühmte Wallfahrtsort zu den 14 Heiligen, welcher zu
dem reichen Cisterzienser-Kloster Langheim gehörte,
das sich seiner Bibliothek und seines erst in diesem

Jahrhundert angelegten Mineralien-Kabinets rühmte. Das Alles war auf kleinem Raum zusammen.

In Banz war ein größtentheils auch erst im 18ten Jahrhundert angelegtes Mineralien- und Münz-Kabinet, das Gebiet war aufs Genaueste beschrieben und aufgenommen, das Meiste ein Werk des Pater Johannes [1]). Der Kanzlei-Direktor und Oberbiblio-thekar, Pater Placidus (Sprenger), war der Heraus-geber des Journals im Sinne der Aufklärung: Lite-ratur des katholischen Deutschlands. Andere Mönche schrieben zur Bibelerklärung oder übersetzten aus dem Französischen. Gelehrten Mönchen wurde die Verpflich-tung täglich einige Stunden „im Chor Gebete zu mur-meln" abgenommen; was zwar immer ein Gegenstand des Neides war.

In der reichen Bibliothek waren, wie selbst Ni-kolai versichert, in verschiedenen Wissenschaften sehr gute und nützliche Bücher. Es war zwar auch ein verschloß-ner Schrank für verbotne Bücher, aber es waren nur wenige darin. Nicht nur protestantische Bücher, son-dern auch die „philosophische" histoire des Indes par Raynal, ja Helvetius de l'esprit lagen offen da. Zum Lesen verbotner Bücher konnte nicht der Abt, sondern nur der Bischof von Würzburg, welcher geistlicher, wie der zu Bamberg weltlicher Oberer des Klosters war, einen Mönch dispensiren; Franz Ludwig war darin freisinnig. Seltsam klingt unter solchen Umständen die

1) Johann Baptist Rappolt, Verfasser der praktischen An-leitung von den Gränzzeichen. Die Naturforscher wallfahren jetzt in das Kloster, um den besterhaltnen Ichthyosaurus (ichth. com-munis oder tenui-cornis) zu betrachten.

10 *

Hoffnung, welche auch damals, besonders im Munde katholischer Welt- und Klostergeistlichen unsern reisenden Protestanten öfters begegnete, durch die rationalistische Arbeit werde der sich selbst zersetzende und auflösende Protestantismus bald in den Schooß der katholischen Kirche sinken. — Abt Georg von Banz hatte 1568 seine Stelle niedergelegt und war der evangelischen Konfession beigetreten; ihm nach hatten auch die Mönche sich aus dem Kloster entfernt. Fürstbischof Julius von Würzburg besetzte es wieder mit Mönchen, und zwar von nun an mit viel zahlreicheren, da früher nur Adeliche hier zum Gelübde der Armuth und Demuth zugelassen worden waren.

Talentvolle Handwerker fanden leicht in einem Kloster neben Arbeit auch einen sie weiter leitenden Mönch. So entstanden Modelle, Darstellungen des Planetensystems. Eine gute Apotheke fand sich in vielen Klöstern. Was für Gold- und Silberschätze auch in diesen Klöstern aufbewahrt wurden, mag die 2 Fuß hohe Monstranz in Banz beweisen, welche 160,000 fl. gekostet haben soll.

Ein lebendiger Schatz waren die zahlreichen Pflaumen- und Zwetschen-Bäume des Klosters, deren Früchte getrocknet in die nahen rauheren Gegenden Thüringens abgesetzt, in manchem Jahr einen Erlös von 6000 fl. abwarfen. [1]).

---

1) Ehe die Obstzucht überhaupt, im Würzburg-Bambergischen aber besonders in Folge des von Franz Ludwig angeordneten Unterrichts darin sich überall, wo sie möglich ist, ausbreitete, hatten sich einzelne Ortschaften auf die Kultur bestimmter Gattungen geworfen. So war Ostheim von der Röhn für seine Kirz

Wir wollen hier eine ausführliche Schilderung der Klöster in Franken und ihrer Stellung mittheilen, welche Meiners in seinen Briefen über eine Reise nach Franken im Herbste 1792 entwirft. Abgesehen davon, daß er sich für das Geschichtliche auf den zuverlässigen Sartori stützt, dürfen wir seine Ansichten nicht blos für die Privat = Meinungen eines Protestanten ansehen, sondern die Ueberzeugungen der religiösen Aufgeklärten in der katholischen wie in der evangelischen Kirche stimmten zur Zeit Kaiser Josephs II. in allem Wesentlichen überein, es war wie ein Geistesbund, eine Solidarität, die sie damals umschlang. Besonders möchte im Folgenden öfters Oberthür durch Meiners Mund sprechen. Meiners schreibt also 1792 von Würzburg aus:

„Die meisten angesehenen Klöster und Prälaturen im Würzburgischen sollen sehr aufgeklärte und gutgesinnte Vorsteher haben. Zu diesen gehört auch der neu erwählte Prälat in Banz, dessen Consecration durch den Fürstbischof von Würzburg wir in der Hofkapelle zusahen; eine Ceremonie, die beinahe 2 Stunden dauerte, und die ich Ihnen nicht würde beschreiben können, wenn ich sie auch noch fünfmal beobachten sollte. In dem Kloster Trieffenstein, am Main, traf ich einen Pater Heinrich, einen jungen und schönen Mann an, der vor nicht gar langer Zeit in Göttingen

schen berühmt, die auf den 1716 aus Spanien eingeführten Zwerg-bäumen wuchsen. Das Dorf Margetshöchheim am Main, unterhalb Würzburg, löste in guten Jahren 4000 fl. für Weichseln, während das zunächst oberhalb !gelegne Veitshöchheim Würzburg mit dem sonstigen bessern Obst versah. Auch in diesem Stücke wollen jetzt Alle Alles thun, woraus viele Pfuscherei entspringt.

studirt hatte und mit meinen, wie mit andern neuesten Schriften sehr bekannt war. In einem andern
fränkischen Kloster sah ich in der Zelle eines Ordensgeistlichen die Bilder von Voltaire, Rousseau und
ähnlichen Männern. So lange das unselige Chorge-
hen so strenge beobachtet wird, als bisher, so können
zwar einzelne glücklich geborne Männer unter gütigen
Prälaten den Wissenschaften obliegen, allein die meisten Bewohner von Klöstern können für nützliche Arbeiten unmöglich Zeit, Kräfte und Lust übrig behalten.
Im Durchschnitt haben die Klöster an Reichthum und
Einkünften sehr abgenommen, und nehmen noch immer
ab. Vermächtnisse und Opfer wurden schon lange mit
jedem Jahre seltener, und auch die Güter werden stets
unergiebiger. Manche Weingüter hat man den Bauern
gegen ein Geringes überlassen müssen, weil diejenigen,
welche Pachtzins dafür schuldig waren, fast nichts als
ein Gemische von Wasser und etwas schlechtem Most
brachten. Mit dem Verschwinden ihres hohen Wohl-
standes haben die Klöster auch ihre ehemalige Gastfrei-
heit einschränken müssen, die in der That auf eine un-
verantwortliche Art geübt und gemißbraucht wurde. Eine
solche Mäßigung der alten Hospitalität hat selbst das
Kloster Eberach nothwendig gefunden, ungeachtet es
noch jetzt das reichste in Franken ist. Man gibt die
Einkünfte desselben auf 130 bis 140,000 fl. an und
behauptete, daß es zweimal so viele Dörfer oder andere große Güter besitze, als es Mönche ernähre, be-
ren siebenzig beisammen sind [1])."

---

1) Ebrach hatte 60 Dörfer und Weiler, 70 Mönche, die
aber zum Theil als Amtleute auf den zerstreuten Besitzungen waren.

„Eine mehr mit Gold überladene und gleichsam überkleisterte Kirche als die Eberacher habe ich nie gesehen, die meisten Reisenden aber werden mit mir wünschen, daß der verstorbene Prälat die Kirche weniger vergoldet, und dafür ein besseres Wirthshaus hingebaut hätte, als das gegenwärtige ist. Etwas so Schmutziges als dieses Wirthshaus ist mir auf allen meinen Reisen kaum vorgekommen, und durch diesen Schmutz leiden viele Menschen, da Eberach zwischen Bamberg und Würzburg fast in der Mitte, wiewohl einige Stunden näher gegen Bamberg liegt, und deßwegen fast Alle, die von Würzburg nach Bamberg reisen, in Eberach Mittag halten. Wenn die gemeinen Leute in der Gegend von Eberach von dem Reichthum des Klosters reden, so sagen sie gewöhnlich, daß die Mönche ihr Geld nicht mit Scheffeln ausmessen könnten. Nicht blos in der Nähe, sondern auch in der Ferne habe ich es bemerkt, daß man den reichsten Klöstern nicht hold ist. Anstatt, daß zu den Zeiten der Jesuiten eine jede Familie, welche mehrere Söhne hatte, sich verpflichtet hielt, Einen davon Gott zu widmen, und daß man junge Leute, die das Noviciat verließen, als verlorne Menschen ansah, so zeigt sich schon lange eine immer mehr auffallende Abgeneigtheit gegen das klösterliche Leben, die theils aus der veränderten Denkart der Nationen über die Heiligkeit der Ordensgeistlichen, theils aus der unsichern Lage der Klöster entspringt. Selbst den reichen Klöstern wird es schwer, neue Mitglieder

---

Der Abt hatte noch 7 Mönchs-, 3 Nonnenklöster des Cistercienser-Ordens unter seiner Aufsicht.

anzuwerben. Junge Leute, die in Klöster gehen, werden für dumm und unbrauchbar gehalten, und wenn man auch die Fähigkeiten und Kenntnisse von freiwilligen Novizen nicht läugnen kann, so behält man doch das Vorurtheil, daß irgend ein geheimes Gebrechen, oder irgend ein nicht lobenswürdiger Grund junge Leute angetrieben habe, sich dem Mönchsleben zu widmen. Frauenklöster, die bisher gewöhnlich keine andere als adeliche Frauen oder Jungfrauen annahmen, erhalten dergleichen gar nicht mehr, und nur mit genauer Noth können sie die Stelle der abgehenden mit Töchtern aus dem Rathsstande ergänzen. Unter den Regeln der strengen Orden ist keine mehr gemildert worden, als die von der gänzlichen Enthaltung von Fleischspeisen, die im nördlichen Europa auch unfehlbar die Gesundheit zerrüttet. In einigen Klöstern, denen sonst alles Fleischessen untersagt war, gibt man Fleischspeisen wöchentlich wenigstens zweimal. In anderen kommen zwar Fleischspeisen nicht auf die Tafel des Refectoriums, man erlaubt aber Fleisch im Krankenzimmer und außer dem Kloster zu essen, und diese Erlaubniß wird so oft als möglich genutzt. Auch auf dieser Reise habe ich mich überzeugt, daß Mönche und Nonnen sehr vergnügt leben, und mit ihrem Stande sehr zufrieden seyn könkönnen, wenn sie gütige Vorsteher oder Vorsteherinnen haben, wie z. B. die hochwürdige Mutter Priorin in dem Kloster der Dominikanerinnen zu Würzburg ist. Finden aber die Vorsteher und Vorsteherinnen oder die Beichtväter von Frauenklöstern ein Vergnügen daran, alle diejenigen zu quälen, die sich ihren Launen nicht mit unbedingtem Gehorsam unterwerfen, so fließen auch

noch jetzt viele Zähren des Grams innerhalb der Klostermauern, und auch jetzt noch werden manche unge-
recht Verfolgte bis zum Wahnsinn oder zur Verzweiflung
gebracht, ungeachtet man nicht mehr das Herz hat,
solche grausame Züchtigungen und Strafen zu vollzie-
hen, als man in älteren Zeiten ausübte."

„Die Schädlichsten und zugleich die Unentbehrlich-
sten unter allen Ordensgeistlichen sind die Bettelmönche,
besonders die Kapuziner. Die Schädlichsten sind sie,
weil sie am meisten den Hang des gemeinen Mannes
zu Wallfahrten und andern zeit- und sittenverderben-
den Andächteleien, so wie den Glauben an Ablaß, Gei-
stererscheinungen, Teufelsbesitzungen, Beschwörungen,
Entzauberungen und andere falsche Wunder unterhal-
ten und befördern, indem der Aberglaube des Volks
der einzige Fond ist, aus welchem die Bettelmönche
ihren Unterhalt schöpfen müssen. Wenn also die Bettelmönche nicht verhungern wollen, so müssen sie das,
was die aufgeklärten Katholiken als Aberglauben ver-
werfen, aus allen Kräften zu bewahren suchen. Außer
ihrem eigenen Interesse treibt sie auch ihre Unwissenheit an, den großen Haufen in seiner Finsterniß ruhen
zu lassen, die Bettelmönche werden wegen ihrer Armuth,
ihrer Unwissenheit und der elenden Künste, welche sie
ausüben, von dem aufgeklärteren Publiko am meisten
verachtet. Diese Geringschätzung und die schlechte Lage,
worin sich die Meisten befinden, hält alle fähige und
unterrichtete junge Leute immer mehr ab, in einen
Bettelorden zu gehen, und diesem Orden bleibt also
je länger je mehr weiter nichts, als der Auswurf von
beschränkten und schlechten Menschen übrig, die sich alles

gefallen laffen, wenn fie nur hoffen können, das täg=
liche Brod zu gewinnen. Die Klöfter der Bettelmönche
haben am ftärkften abgenommen, und man glaubt bei=
nahe allgemein, daß fie allmählig und ohne gewalt=
fame Revolutionen ausfterben werden."

"Eben die Mönche, die von vielen Seiten die Ge=
fährlichften find, bleiben von andern wiederum die Un=
entbehrlichften. Die Bettelmönche, und befonders die
Kapuziner find unter allen Ordensgeiftlichen die eifrig=
ften im Beichtfitzen und Predigen. Ohne fie würde
das Volk in manchen Gegenden gar keinen Unterricht
oder Tröftung von der Religion erhalten."

"Nach den Zeiten der Reformation zogen die Dom=
ftifter und auch die Collegiatftifter eine große Menge
von Pfarreien und Kaplaneien unter dem Vorwande
ein, daß fie durch die Reformation zu viel Schaden
gelitten hätten, um folche geiftliche Stellen noch ferner
befetzen zu können. Nach diefem unverantwortlichen
Schritt waren es vorzüglich die Bettelmönche, die fich
des verwaiften Volkes annahmen. Ihre Klöfter wur=
den beträchtlich vermehrt, weil fie die Gefchäfte der
eingezogenen Lehrftellen verrichten mußten, und mit
diefer Vermehrung der Bettelmönche wuchs dem armen
Volke eine neue Luft zu, weil die neuen Lehrer nicht
von den Stiftern befoldet wurden, fondern von dem
Volk ernährt werden mußten. Um das Ausfaugen fei=
ner Unterthanen durch die Bettelmönche zu verhüten,
hat der Fürftbifchof allen fremden Bettelmönchen das
Terminiren in feinen Landen unterfagt. Man arbei=
tet fchon lange daran, für die Einheimifchen eine Ent=
fchädigung ausfindig zu machen, wodurch man ihnen

den Ertrag des Terminirens ersetzen könnte, und die
meisten Ordensgeistlichen sollen es selbst wünschen, daß
man sie von dem unangenehmen Bettelamt befreien
möchte. Die Bettelmönche gelten noch immer sehr viel
bei den untersten und obersten Volksklassen [1], und bei
diesen fast noch mehr, als bei jenen. Die meisten
Vornehmen erweisen dem schmutzigsten und unwissend-
sten Kapuziner eine größere Achtung, als dem berühm-
testen und verdienstvollsten Gelehrten, und freilich kann
der letztere das beschwerte Gewissen von Damen und
Herrn nicht so bequem erleichtern, als der Erstere.
Durch den Einfluß, den die Bettelmönche auf die Großen
haben, sind sie auch jetzt noch gefährliche Widersacher,
und ich habe selbst von mehreren Gelehrten gehört,
daß sie lieber dem Fürsten oder den Vornehmsten, als
den Bettelmönchen mißfallen möchten. Der Zorn der
Letzteren sei unversöhnlich und man könne sich dagegen
durch keine Vorsicht schützen."

16) Die beiden Bisthümer.

Das Bisthum Würzburg ist in ein ehrwürdiges
Gewand des Alterthums gehüllt. Wir wollen und können nicht scheiden, was daran ächt geschichtlicher Zet-
tel, was der Eintrag und Stickerei der Sage und
Dichtung ist. Wir deuten nur an, was seit Jahrhunderten von Tausenden geglaubt wird und gewiß selbst
in seiner ältesten Ueberlieferung nicht ohne thatsäch-
liche Grundlage ist.

---

1) Die oben erwähnte Verachtung derselben war also vorherrschend nur beim Bürgerstande eingewurzelt.

Boten des Evangeliums aus Irland richteten auf
dem davon benannten höchsten Berg dieser Lande, dem
Kreuzberge, zuerst das Zeichen des Kreuzes auf. Der
Führer derselben, Kilian, taufte 688 den Herzog und
starb als Märtyrer durch Meuchelmörder, welche dessen Frau gedungen hatte.

Als Winfrid (Bonifaz) das Land am Main besuchte, war es beinahe (wieder) ganz heidnisch. Auf
der Kirchenversammlung auf der Salzburg (741) an
der fränkischen Saale stiftete er mit Zustimmung des
großen Frankenkönigs unter andern auch das Bisthum
Würzburg, welches daher unter dem Erzbischof von
Mainz stand ¹). Der erste Bischof seit 742 war ein Ver-
wandter von Bonifaz, ein englischer Adelicher, St. Burk-
hard. Von ihm an gezählt war Franz Ludwig der
82ste. Bald mächtige Herrn, führten sie jedoch nach-
weislich den vielleicht schon im zwölften Jahrhundert
angenommenen Titel eines Herzogs zu Franken dauernd
erst in den Zeiten des Zerfalls der kaiserlichen Macht,
von 1450 an. Das Schwert, welches auch unser Franz
Ludwig, und zwar als der letzte, auf seinem Grab-
denkmale in der Hand hält, soll sich schon Bischof
Erlongus (1120), als Zeichen der weltlichen Gewalt
haben vortragen lassen.

Schon durch die Errichtung des Bisthums Bamberg, zu Anfang des eilften Jahrhunderts, hatte Würzburg das östliche Viertheil seines geistlichen Sprengels
verloren.

<hr>

1) Bonifaz erhielt 745 durch Beschluß des deutschen Reichs-
tags Mainz zum Sitze seines Erzbisthums.

Während das weltliche Gebiet Würzburgs schon
im Mittelalter beinahe ausschließlich nördlich von der
Hauptstadt lag, hatte damals die Diöcese, der geistliche Sprengel des Bisthums mit dem von Constanz
am mittleren Neckar zusammengestoßen. Durch die
Reformation aber verlor das Bisthum beinahe seine
ganze südliche Hälfte, nämlich das nördliche Württemberg, die Hohenlohischen Lande, Ansbach und Bayreuth,
im Norden Henneberg und Coburg, dazu die meisten
Reichsstädte und reichsunmittelbare Reichsritterschaft.
Daher fiel zu Franz Ludwigs Zeiten nur ein kleiner
Theil des Bisthums außerhalb des Fürstenthums Würzburg; dasselbe war es mit Bamberg.

·   Nahezu der südlichste Gränzstein des Würzburger
Bisthums blieb das der Reichsstadt Schwäbisch-Hall
gegenüber, wie eine auf einen Hügel verschlagene
Fregatte, ragende Ritterstift Komburg, (Kocherburg,
jetzt württembergisches Invalidenhaus). Dasselbe war,
früher Benediktinerkloster, 1489 von seinem Vogte, dem
Erzschenken von Limburg, mit Einwilligung des Pab-
stes, in ein weltliches adeliches Ritterstift verwandelt
worden. Demselben waren seine Ansprüche nach Reichsunmittelbarkeit 1587 von dem kaiserlichen Kammerge-
richte zu Speyer abgeschlagen worden. Seine Einkünfte bezog es durch vier Amtleute da und dort. Es
hatte 4 ihm zuständige katholische und 11 evangelische
Pfarreien, diese mit evangelischen Theologen zu besetzen und erhielt nebst einem Probste, Dechanten, 6 Kapitularen, 4 Domicellaren (canonici minores), 12 Vikarien, ein eignes Kanzleipersonal und einen besondern Kon-
vertitenverwalter. Während des letzten Jahrhunderts

158

noch hatten die Bischöfe von Würzburg scharfe Streitigkeiten der Stiftsherrn unter sich zu schlichten gehabt.

Die unter Evangelischen zerstreuten kirchlichen Posten mitgerechnet betrug zu Franz Ludwigs Zeiten die Länge des bischöflichen Sprengels Würzburg 26, die Breite 23 deutsche Meilen; nämlich jene von dem Hessischen Amte Bacha im Norden bis an Gaildorf in der Grafschaft Limburg, diese, die Breite, zog sich von Neckar-Gemünd bei Heidelberg westlich, über Gundelsheim am Neckar, Schillingsfürst, Ansbach, bis an das nürnbergische Gebiet. Es war in 17 Kapitel getheilt [1].

Das Patronat, also das Recht, die geistlichen Stellen zu besetzen und die damit verbundnen Besoldungen zu vergeben, stand zum kleinern Theile dem Fürstbischof zu Würzburg zu, die meisten Patronatrechte gehörten dem Domkapitel zu Würzburg (dessen Domherrn einen Theil der besten Oberpfarreien besaßen und durch Vikarien versehen ließen), sodann fremden geistlichen Fürsten z. B. Mainz, Bamberg, Ellwangen, dem Stift St. Haug zu Würzburg, oder seinem Probst,

---

1) In Folge der Auflösung des deutschen Reichs und des Fürstbisthums und der neuen Territorial-Eintheilung wurden viele bisher würzburgische Pfarreien an das Bisthum Bamberg überwiesen und machen jetzt einen Theil dieses neugebildeten Erzbisthums aus.

Andere gingen an Baden und damit 1808 an die Diöcese Speyer, zunächst General-Vikariat Bruchsal, welche jetzt zum Erzbisthum Freiburg gehören. Die an Württemberg fallenden kamen 1814 an das General-Vikariat Ellwangen, später an das Bisthum Rothenburg. Dafür wurden an Baiern fallende Theile des Erzstifts Fulda und Aschaffenburg der Würzburger Diöcese einverleibt, früher Mainzisch.

Klöstern, dem Malthefer- oder Deutfch-Orden, Ritterftif-
tern, weltlichen, zum Theil evangelifchen Fürften (Hohenlohe, Ansbach, Wertheim, Löwenftein), Grafen und
Baronen, höchft felten einem Stadtmagiftrate. Der
Fürftbifchof hatte 33, das Klofter Ebrach 2 Pfarreien
augsburgifcher Konfeffion zu befetzen; fo daß 46 evangelifche Pfarreien zur Hochftifts-Diöcefe gehörten. Zum
bambergifchen Kirchenfprengel gehörten fechs evangelifche Pfarreien.

Die viel kleinere bambergifche Diöcefe war
in 8 Landkapitel getheilt, in welche auch 6 evangelifche
Pfarreien eingetheilt waren. In ihr, zum Theil außerhalb des weltlichen Territoriums von Bamberg, lagen
4 Kollegiatftifte; 4 Benediktiner-, 1 Bernhardiner-Ab-
tei, 3 Frauenklöfter, 9 Mannsklöfter, 5 Hofpitien [1]).
Die uns nicht näher bekannten Patronats-Verhältniffe
im Bambergifchen waren wohl obigen ähnlich.

Auch im Bambergifchen hatte die Reformation
Luthers ftarken Anhang gefunden und es waren dabei nicht nur Erinnerungen alter bürgerlichen Freiheit
erwacht, fondern der Fürftbifchof Georg, Erbfchenk
von Limburg v. 1505 bis 1522, vertrauter Rathge-
ber Kaifer Maximilians, ftand mit Luther in Brief-
wechfel, geftattete Gewiffensfreiheit und verbot die
Bekanntmachung der päbftlichen Bann-Bulle. Eigentliche Verfolgungen der Evangelifchen kamen erft gegen
die Zeit der Liga vor.

Bamberg und Würzburg hießen Hochftifte, (ecclesiae principales) wie jedes reichsunmittelbare

---

1) Hofpitien hieß man kleine Klöfter von Bettelorden.

geistliche Fürstenthum. Die Inhaber ihrer Bischofs-
stühle waren von aller erzbischöflichen Gerichtsbarkeit
befreit und Rom unmittelbar unterworfen. Jeder Hoch-
stiftsregent in Würzburg und Bamberg handelte als
exemter Bischof in seinem Sprengel wie ein Erzbischof. Er hatte das Recht, das Pallium zu tragen
und sich das erzbischöfliche Kreuz vortragen zu lassen.
Ein weiterer Vortheil davon war, daß er die etwa
während der drei dem Pabst zustehenden Monate erledigten Präbenden (Einkommensantheile) an den 3 Kollegiatstiftern zu Bamberg besetzen durfte, während ihm
sonst nur das Recht der ersten Bitte dabei zustand.

Allein dieses Exemtions-Privilegium hatte auch
seine Nachtheile; der Erzbischof von Mainz sah diese
seine Ausschließung aus einem Theil seiner ursprünglichen Diöcese natürlich sehr ungern, er war daher
für Würzburg ein meist ungefälliger Nachbar. Der
Vortheil war hauptsächlich auf Seite des Pabsts, dem
das Pallium theuer abgekauft werden mußte und der
an diesen Hochstifts-Inhabern interessirte Bundesgenossen besaß gegen die Erzbischöfe und damit gegen
eine nationale Gestaltung der katholischen Kirche in
Deutschland, wie sie eben damals angestrebt wurde.
Wie sich Franz Ludwigs Grundsätze dabei herausstell-
ten, werden wir unten sehen.

17) Franz Ludwig als Christ und als Bischof.

Der Leichenzettel Franz Ludwigs sagt: „Wir sahen in ihm einen Bischof, welcher als ein auf den
Leuchter gesetztes Licht, ohne Furcht sich verzehrt, um
zu brennen, um zu leuchten, brennend mit dem Feuer

seiner Frömmigkeit, leuchtend mit dem Lichte seines Beispiels."

Eben so wahr spricht Leibes als sein Todtenrichter: „Sein innigstes Bestreben war, der sittlichen Religion, jener Religion, derer Heiligthum das Herz des Menschen, derer Gottesdienst die Uebung der Tugend ist, immer mehr Eingang zu verschaffen und seiner Heerde die Seligkeit derselben empfinden zu lassen [1]. Eine ungeheuchelte Liebe gegen Gott, eine lautere Liebe gegen den Nächsten, ein heiliger Ernst, seine Begierden zu mäßigen, ist die Seele derselben; ihr Auge ist die Hoffnung eines besseren Lebens. Alle seine Verordnungen athmen diesen Geist, aus allen seinen Hirtenbriefen leuchtet die Absicht hervor, seine Gemeinde von der äußeren Andacht zu der Andacht des Herzens fortzuführen." —

Wie sein Gewissen ihn jeden Augenblick mahnte, seine Pflichten sowohl als Fürst, wie als Bischof zu erfüllen, so wollte er auch die Kinder seiner bischöflichen Kirchen und seiner Lande zugleich zu guten Bürgern ihres himmlischen und irdischen Vaterlandes erziehen. Das erschien ihm als unzertrennlich.

Seine Regentengewissenhaftigkeit verläugnete das Zeitalter des großen Friedrich und Kaiser Josephs nicht, aber er bewies, daß man weder ein Freigeist, noch jäher Reformator zu seyn braucht, um früh und spät sich seinem Volke zum Opfer darzubringen; er war ein Fürst in der

[1] Nicht ganz mit Unrecht sprach man damals von einem „katholischen Deutsch": wir lassen diese Sprache daher an vielen Stellen unverändert.

Bernhard, Franz Ludwig.   11

Selbſtbeherrſchung, der erſten und letzten Tugend des
Selbſtherrſchers.

In einem Reſcript an ſein Ordinariat ſagt er,
daß man ſich früher aus lauter Religioſität (ſage:
Kirchlichkeit), um Sittlichkeit gar wenig bekümmert
habe, jetzt aber, da man von nichts als Sittlichkeit
rede, die Religion beinahe vergeſſe; er werde ſich aber
von keinem Menſchen aus der Mittelſtraße treiben laſſen.

Es iſt in unſerer Zeit Mode geworden, auf „die
Zeit der Aufklärung und des Zopfs" vornehm und
ſpöttiſch herabzuſehen. Nicht das Ueberwiegen der Sittlichkeit über die Kirchlichkeit, nicht die Aufklärung,
welche überhaupt nur in den höheren Geſellſchaftsklaſ-
ſen Statt hatte, war das Schlimme an der Zeit unſerer Großväter. Ausgezeichnete, hochgeſtellte Männer,
welche aus jener Zeit überleben, verſichern uns, daß
eben ſo wohl in den aufgeklärten, als in den aufklä-
rungsfeindlichen höheren Ständen jener Zeit (zumal
auch in den geiſtlichen Landen) eine tiefe Unſittlichkeit
eingefreſſen hatte. Die Unbeſchränktheit der Herrſcher,
der Höflinge und des Adels nach Abbruch aller natio-
nalen Bürgerfreiheit, dieſe Unbeſchränktheit und das bei
dieſen höheren Ständen dominirende Nachäffen des franzöſiſchen Hofs ſaß in der lachenden Frucht der Aufklärung und der philoſophiſchen Selbſtregierung, wie
ein Wurm im Herzen. Denn nichts gefährdet und
verderbt das Weſen, den Kern des Menſchen gründlicher, als der ſeiner ganzen Natur widerſprechende Ver-
ſuch der Schrankenloſigkeit, der Unumſchränktheit, mag
er auch die heiligſten Titel vorſchützen [1]).

---

1) Nachdem die Sünden des franzöſiſchen Hofs und Mate-

Darum ſteht Franz Ludwig durch ſeine Selbſtbeherrſchung, ſeine ſittliche Reinheit ſo einzig reell, ſo
groß da. Vor Tauſenden Derer, die als Unterthanen Augenzeugen ſeiner Thaten geweſen waren, durfte
Leibes an heiliger (freilich durch Fürſten- und andere
Schmeichler ſchon oft entweihter) Stätte ihm nachſa-
gen, ohne daß auch ein abgeneigtes, ſtolzes Herz wi-
derſprechen konnte: „Er genoß nicht, was die Menſchen
Fürſtenglück nennen. Er hörte die Schmeichelei nicht,
um ſein Herz nicht verderben zu laſſen. Er ergab
ſich nicht zweckloſen Zerſtreuungen, um die Zeit nicht
zu verlieren; Er brauchte ſeine Macht nie, um ſeine
Willkür zu befriedigen und vorgefaßte Abſichten mit
Gewalt durchzuſetzen; Er entſagte jeder Luſt ſeines
Herzens, um blos der Neigung für das was recht,
gut und ſittlich iſt nachzuleben; kurz er verläugnete
ſeine Privatperſon, um nur als öffentliche Perſon zu
denken, zu empfinden und zu handeln.“

„Die Zeit, die ihm etwa von ſeinen Geſchäften
übrig geblieben war, widmete er dem Leſen guter Schriften, um ſeine Seele für alles Gute offen zu erhalten,

---

rialismus von den höheren Ständen in die unteren Klaſſen gedrungen iſt, fragt es ſich nunmehr, ob bloße Wiederaufrichtung
der Vorrechte, ob die bloße Form der Selbſtregierung genügen,
ob nicht vielmehr ächte mannhafte Tugend, ehrliche Frömmigkeit,
eine feſte Weisheit und Opferbereitwilligkeit allein die Bevorrechteten
ihres Berufs und der Ehre würdig mache. Die Zügelloſigkeit
der Maſſen kann nicht durch Heuchelei und Einſalbung geheilt
werden. Die Heimathloſigkeit des Kosmopolitismus war der Kno-
chenfraß an jenen; werden wir ohne die ſtählende Kraft der Na-
tionalität im Großen ſittlich erſtarken können? oder genügt das
Achſelzucken, daß es damit nichts ſei!

11 *

und seinen Durst nach Weisheit zu befriedigen. Er studirte in ihnen den Geist des Zeitalters, um ihn durch seine eigne Grundsätze zu leiten."

Wir müssen hier bemerken, daß er täglich die beste Morgenstunde der Andacht, besonders dem Lesen, dem Beten der H. Schrift widmete, auch die Messe fleißig hörte.

Leibes bezeugt ferner: „Er wachte ängstlich über jede Regung seines Herzens, und suchte sich durch ganz eigne Maximen der Vorsicht das Böse unmöglich zu machen, oder sich doch Hindernisse in den Weg zu legen. Er versagte sich oft das Erlaubte, um sich mit desto größerer Fertigkeit das Verbotne versagen zu können und vermied gewissenhaft den ersten Schritt, der ihn näher zum Falle hätte bringen dürfen; Er flüchtete sich sogar manchmal bei schwerem Kampf in das seiner Neigung entgegengesetzte Aeußerste hinüber, um von da aus mit verstärkter Kraft sein Herz zu besiegen."

Das Alles faßt Leibes in die große Wahrheit zusammen, daß ein Fürst entweder keine Tugend hat, oder daß seine Tugend eine heroische ist.

Das war und blieb der Charakter seiner Religiosität. Wenn dabei auch gerade hier die Motive seines Regenten-Charakters zur Sprache kommen, so ist es eben am rechten Orte, denn sie wurzeln in seiner religiösen Ueberzeugung, welche eine positiv christliche und kirchliche war und blieb, während sie je länger je mehr der Aufklärung und Toleranz im gediegenen Sinne und der ächten Humanität Raum gab. Denn es lassen sich allerdings Zeitpunkte der Entwicklung feststellen. Die Uebernahme der schweren gedoppelten Regenten- und Bischofs-Pflichten 1779 hatte offenbar einen tiefen, erschütternden, etwas widerstehenden Eindruck auf sein ganzes Wesen gemacht. Wir haben oben gesehen, daß ihm dieß selbst zum Vorwurf geschärft wurde. Auf das Jahr 1784 fallen schon mehrere Gesetze und Einrichtungen im Sinne der Aufklärung und Humanität.

Wir wollen darüber nun den gut unterrichteten Augenzeugen vom Herbst 1792, Meiners [1]) vernehmen:

Der Fürst von Würzburg glaubt, daß er alle seine Zeit und Kräfte, wie seine Einkünfte, dem Volke, über welches er herrscht, schuldig sei. Unabläßiges Arbeiten ist für ihn Bedürfniß, und eben deßwegen auch sein einziges Vergnügen. In den ersten Jahren seiner Regierung ritt er bisweilen spazieren. Schon lange aber geschah dieses eben so selten, als spazieren fahren, oder spazieren gehen. Nun läßt er sich, seit der Ankunft des Kurfürsten von Mainz [2]), der täglich mehrere Stunden spazieren geht, bewegen, seinen Bruder zu begleiten. Ein jeder sagt voraus, daß diese Zerstreuungen nicht länger dauern werden, als der Kurfürst sich hier aufhalten wird. Es ist der allgemeine Wunsch des dankbaren Publikums, daß der

---

1) Wir machen nochmals darauf aufmerksam, daß Meiners in näherer Beziehung zu Oberthür in Würzburg stand, an welchem, sonst trefflichen Manne, der Fürst seine zu aufklärerische Richtung und eine vorlaute hohe Meinung von sich offen tadelte, und welcher gar nicht besonders gut auf Franz Ludwig zu sprechen war, was noch aus seinen hinterlaßnen Papieren erhellt.

2) Des Kurfürsten Erzbischofs von Mainz, im Herbst 1792 auf der Flucht vor den Franzosen.

Fürst seinem Körper öfter gesunde Bewegungen und den Genuß von freier Luft, so wie seinem Geist das Vergnügen angenehmer Unterhaltung gönnen möchte. Man behauptet nicht ohne Grund, daß der Fürst alsdann von manchen kleinen Beschwerden, die ihn jetzt bisweilen heimsuchen, frei werden, und dem Lande länger erhalten werden würde. In unsrem ganzen Erdtheile sind gewiß nur wenige Fürsten, die so sehr geliebt und geehrt werden, als der gleich große und gute Bischof von Bamberg und Würzburg jetzt von seinem Volke geliebt und geehrt wird. Dieses an edlen Fürsten fast ganz allein beneidenswerthe Glück genoß selbst Franz Ludwig nicht immer in demselben Grade. Als er zur Regierung gekommen war, wurde er von der Wichtigkeit und Heiligkeit seiner neuen Pflichten so sehr durchdrungen, daß er darüber eine Zeit lang in eine gewisse Aengstlichkeit fiel, die ihn hinderte, manches Gute so bald zu thun, als man es wünschte. Eben diese Aengstlichkeit machte ihn zu einem Widersacher von mehreren rechtschaffenen und wahrhaftig frommen Männern, an deren Rechtgläubigkeit er zweifelte, oder von Andern zu zweifeln bewogen wurde (z. B. Oberthür). Kurzsichtige, oder nichtswürdige Heuchler schlichen sich zwar nicht in seine Gunst ein, allein sie überraschten ihn doch nicht selten von einer Seite, von welcher sie wußten, daß er ihren Künsten allein zugänglich war. Die ängstliche Frömmigkeit des Fürsten verbreitete über die Stadt, wie über den Hof, eine gewisse düstere Stille, die um desto auffallender war, da man sich unter dem letzten Regenten seinem Genius ungescheut überlassen hatte. Wenn man auch nicht umhin

konnte, ben von jeher unſträflichen Wandel, ben durch-
bringenden Geiſt, die gründliche Gelehrſamkeit, die un-
ermüdliche Thätigkeit und die auf das Wohl des Staats
und der Religion ganz allein abzielenden Geſinnungen
des neuen Herrn zu bewundern, ſo konnte man ihn
doch nicht im gleichen Verhältniſſe lieben, weil man
immer fürchtete, daß der oft nur angebliche Mangel
einer gewiſſen Religioſität und Rechtgläubigkeit der Vor-
wand von verminderter Gnade oder von kränkenden
Beunruhigungen werden möchte. Der fromme Fürſt
betrieb die beſchwerlichſten geiſtlichen Verrichtungen mit
einem ſolchen Eifer, daß ſeine nicht ſtarke Geſundheit
dadurch auf eine gefährliche Art erſchüttert wurde.
Die traurigen Folgen einer übertriebenen Gewiſſenhaf-
tigkeit nöthigten endlich die Aerzte, ihrem Herrn die
nachdrücklichſten Vorſtellungen zu machen. Auf den Rath
der Aerzte enthielt ſich der Fürſt von den angreifenden
Viſitationen. Seine Geſundheit ſtärkte ſich von Jahr
zu Jahr, und ſo wie dieſe zunahm, ſo wurde ſeine
Frömmigkeit milder und duldſamer, ſein Geiſt heiterer
und entſchloſſener, und der Gang der Geſchäfte raſcher
als er Anfangs geweſen war. Ungeachtet der Fürſt
noch immer täglich mehrere Stunden auf ſtille An-
dachtsübungen und gottesdienſtliche Handlungen wen-
det, ſo verlangt er doch im Geringſten nicht, daß Andere ein Gleiches thun. Man denkt, redet und ſchreibt
in Würzburg eben ſo frei, als in irgend einem andern
katholiſchen Lande. Der Fürſt weigerte ſich ſtandhaft,
an den Verfolgungen Theil zu nehmen, die man jetzt
in ſo vielen Gegenden von Deutſchland mit der größten Ungerechtigkeit gegen die ehemaligen Illuminaten

übt, indem er sagte: Daß er die Illuminaten zwar nicht für Engel, aber auch nicht für solche Teufel halte, als wofür man sie jetzt ausgebe [1]."

„Bei der ursprünglichen Stimmung seines Geistes und bei der seit vielen Jahren befestigten Richtung seines Gemüths, würde der Fürst von Würzburg vielleicht doch keine kühne und durchgreifende Verbesserungen der Geistlichkeit und der Kirche wagen, wenn er auch dazu ermuntert würde. Weit entfernt aber, den Fürsten zur Abstellung der unvernünftigsten und schädlichsten Mißbräuche aufzufordern, widersetzt sich der größere Theil der geistlichen Regierung in Würzburg (die Majorität des Domkapitels, die Klöster und ihr Anhang), öffentlich oder heimlich den wohlgemeinten Absichten des aufgeklärten Fürsten und der aufgeklärten Weltgeistlichkeit und in dieser Widersetzlichkeit liegt der Grund, warum viele Ueberbleibsel des alten Aberglaubens, deren Untersagung der Fürst der geistlichen Regierung gleichsam abnöthigte, dennoch hartnäckig von den Mönchen beibehalten werden. Die Freunde der Aufklärung und der ächten Religion wünschen laut, daß die wackern Mitglieder der geistlichen Regierung, die geistlichen Räthe, Gregel, Leibes, Sündermahler u. s. w. bald mehrere ihnen ähnliche Gehülfen und durch deren Mitwirkung allmählig das Uebergewicht erhalten mögen." Soweit Meiners.

In Würzburg erzählt man sich, daß im Anfang

---

1) Ein anderer geistlicher Fürst gab denen, die ihn zu Inquisitionen gegen die Illuminanten bereden wollten, zur Antwort, daß er noch Illuminaten oder Erleuchtete brauche, indem es in seinem Lande sehr finster sei.

seiner Regierung listige Bittsteller bei der Audienz
absichtlich, etwa wenn sie das Taschentuch herauszo-
gen, um wohlberechnete Thränen abzuwischen, einen
Rosenkranz auf den Boden fallen ließen. Wenn sie
ihn dann scheinbar schnell zu verbergen suchten, so bezeugte Franz Ludwig sein Wohlgefallen daran und be-
ruhigte sie damit, daß er ihn auch bete. Als er aber
hinter den scheinheiligen Betrug kam, erklärte er öffentlich, daß dieser Handgriff bei ihm nicht mehr verfange.

Dem ascetischen Charakter seiner Frömmigkeit hätten wohl am meisten jene paar einfachen Kirchen Vene-
digs, aus dem sechzehnten Jahrhundert, z. B. St. Gia-
vanni Maggiore, entsprochen. Die Ueberladung der
Kirchen mit grellen Farben, verkünstelten Schnörkeln
im Jesuiten-Roccocostyl ¹) entsprach seiner Andacht nicht.
Im Juliusspital ließ er eine kleine Kirche in seinem
Sinne bauen, wobei alle Ueberladung vermieden war,
und die nur einige Nebenaltäre hatte; „so wünschte
er alle Kirchen zu sehen" schreibt Wagner. Aber bald
mußte er darüber hören, daß die Leute sagten, er habe
eine lutherische Kirche gebaut. Dieß that ihm wehe

---

1) Der seit ihrem Tode auch in weiteren Kreisen verehrten
westphälischen Dichterin verdanke ich die wohl richtige Erklärung
dieses Worts: In heiterer Laune, nach dem Diner erkundigten
sich ein französischer Prinz und andere Emigrirte 1792 in Cob-
lenz auf der Straße nach einem Händler mit alten Möbeln und
Kleidern. Ein guter Deutscher suchte in seiner Muttersprache
ihnen verständlich zu machen, daß ein Rock vor dessen Laden
hänge; oui, oui, roc, roc, rocococo! rief der Prinz lachend.
Während der Restauration wurde es an der königlichen Tafel erzählt und als Einfall eines Prinzen natürlich geistreich befunden und Mode.

und er sagte zu Wagner: „Das gemeine Volk klebt
zu sehr an den Nebensachen der Religion, man hätte
sich nicht soweit von der gemeinen Meinung der hiesigen Menschen entfernen sollen."

Wahrhaft Mitleiden wandelt uns an, wenn wir
die allerdings etwas satyrische Schilderung eines Got-
tesdienstes in Bamberg aus der Feder Nicolais, des
Aufklärers, lesen. — Derselbe fällt in den Sommer 1781,
also in das dritte Regierungsjahr Franz Josephs:

„Wir sahen diesen Fürsten die Messe lesen. Er
hat ein blasses rundes[1]) Gesicht, seine Augen auf den
Gegenstand geheftet, seine Lippen beinahe unbeweglich.
Er war völlig in sich gekehrt, ganz mit dem beschäftigt, was er that. Die Messe selbst war eine stille
Messe, nicht eine Messe mit Musik (d. h. es wurde
kein Theil der Messe unter Musikbegleitung gesungen).
Dennoch ward während der Messe eine Musik gemacht,
die gar nicht zu derselben gehörte. Nach der Orgel
spielte die fürstliche Hofkapelle eine Simfonie, etwa in
Abel'schem Geschmack, sangbar und schön. Jene bestand
aus 10 Violinen, 2 Bratschen, Hoboen, Waldhörnern,
Violoncellen, 2 Violonen, 1 Fagott. Die Ausführung
war nicht vorzüglich, aber gut."

„Darauf sang Madame Frakassini, die Gemahlin
des Kapellmeisters, knieend eine tüchtige Bravur-Arie,
etwa im Geschmack von Traetta, geschliffen und unsi-
cher, von einem Flötengedakt des Positivs accompanirt.
Nachdem die Arie geendigt war und der Organist wieder

1) Den Portraits nach war sein Gesicht rund eben nur
soweit jedes Gesicht rund ist, sonst schmal, die mittlere Längen-
linie hervortretend.

ein wenig gebudelt hatte, kam eine beinahe komische
Simfonie, darauf ein Andante, das, wie man in Berlin zu sagen pflegt, nicht viel, aber doch wenig war,
endlich wieder ein Schlendrians-Allegro. — Mir kam
es unter einem so rigide-religiösen Fürsten sehr son-
derbar vor, daß der Gottesdienst durch Opernmusik
gestört war, die gar nicht dahin gehörte."

„Indessen schien die Musik eigentlich Niemanden
zu stören. Der größte Theil der Zuschauer gab weder
auf die Opernarie, noch auf die Messe Achtung. Ein
Theil plauderte und, was mir merkwürdig war, auch
gemeine Leute; ein Theil schien dumm-gleichgültig
dazustehen." — Soweit Nikolai, dieser prosaische, kleine
Lucifer, der aus lauter Verstandeseifer für Toleranz
oft recht intolerant sich gebährdet. — Ein anderer Protestant, H. von Heß, schildert zugleich die äußere und
innere Persönlichkeit, die kirchliche Erscheinung, wie er
sie auf seiner Fußreise durch Süddeutschland 1789,
wenn auch aus einiger Entfernung, doch als Augenzeuge kennen gelernt hatte: Trotz einem Alter von einigen sechzig Jahren trägt er sich mit jugendlicher Fe-
stigkeit, und eine etwas bleiche Gesichtsfarbe abgerechnet,
müßte man ihn für einen gesunden, rüstigen Alten
halten. Er ist von mittlerer Größe; seine Bewegungen und sein Gang haben eine feierliche Gravität, die
aber, weil sie natürlich und nicht erkünstelt ist, nichts
Abschreckendes hat, sondern durch Milde und sanften
Anstand gemäßigt wird. Sein Blick ist ernst, nicht
kalt. In seinem melancholischen Auge birgt sich eine
stille Traurigkeit, als wenn es ihm leid thäte, daß er
den Menschen verachten muß. Ein Jnnblick in das

natürliche Eigenthum seines Geistes zeigt ihm den Adel
und die Würde des Menschen, der unverführt an den
Pforten der Thorheit vorübergegangen ist. Dieß Bewußtsein hat sich außer ihm nicht bewährt, darum hat
er es hart in sich verschlossen, und die Rinde seiner
Physiognomie liefert dem Angaffer blos den Tusch der
bittern Schwermuth, womit sein reines Auge in das
seinem Herzen so fremde Behältniß aller Verkehrthei-
ten hineinschauet. Hat das System von der nothwen-
digen Versöhnung einer beleidigten Gottheit hiebei mitgewirkt oder war es eigener Gang einer abwärts
geleiteten Seele [1])? genug, er scheint abbüßen zu wollen, was er nicht verbrochen hat. Hieraus ist sein andäch-
tiges Leben entstanden, das nahe an Schwärmerei gränzen mag. Seine Absonderung von den Menschen, die
er nach seiner erhabenen Denkart nicht lieben konnte,
seine strenge Entsagung von allem sinnlichen Interesse
und die Verzichtleistung aller gesellschaftlichen Freuden
müssen seine Empfindungen über den irdischen Meridian
wegrücken, und seine unbefleckte Seele zu einer Andacht
heben, bei der sie wenigstens in negativen Darstellungen (?) fortleben und mitgenießen konnte. Ich habe ihn
beten sehen mit einer Inbrunst, die auf den Flügeln
einer gränzenlosen Einbildungskraft getragen schien. Er
kniete öffentlich mitten in der Gemeinde, und sein ganzes Wesen war, von dieser abgesondert, blos im An-
schauen des Unendlichen verloren. Seine bleichen Hände
hob er mit einer Bewegung gen Himmel, als ob er
von der großen Fülle seiner Gnade etwas für sich

---

1) wohl: zur Demuth, Schwermuth geneigten Seele.

enthalten wolle. Sein Auge floh über die Schranken des
Irdischen, und schien, durch den Vorhang gedrungen,
der uns Sterbliche vom Unendlichen trennt, in vollem
Vertrauen am Blick des Ewigen zu hangen. Bei aller
dieser ganz in sich versunkenen Andacht mischte sich in
seine kunstlosen Geberdungen nichts, was eine kriechende,
falsche Demuth, eine winselnde Reue, oder eine er-
heuchelte Selbstverachtung verrathen hätte."

Am Schluß fügt von Heß noch bei: „Doch auch
dem Tadel gebührt sein Recht. Gewöhnlich beurtheilt
er andere Menschen zu rigid, weil er sie mit dem
Ideal seiner Vollkommenheit betrachtet (mißt, wägt).
Nach diesem Maßstabe findet er sie gewöhnlich unwürdig, klein und verächtlich und dieß führt ihn zur un-
duldsamen Strenge oder Kälte gegen diese doch immer
nur mehr nichtige als böse Wesen. Legte er von der
Strenge, womit er sich selbst betrachtet und behandelt,
so vieles weg, als der moralische und politische Ab-
stand, in dem sie vor ihm stehen, zu fordern berech-
tigt ist, so würde Franz Ludwig ein Mensch seyn, dessen
wahrhafte Vortrefflichkeit eine laute Beschämung seiner
ganzen jetztlebenden Gattung wäre." Heißt das aber
nicht von einem Menschen sich selbst Widersprechendes fordern, besonders bei der Liederlichkeit, welche, wie uns die
zuverläßigsten Männer aus jener Zeit selbst noch ver-
sicherten, hauptsächlich bei hohen Pfründnern herrschte?

Eine entschieden mildere Gestalt zeichnet uns Leibes: „Gerecht und gütig war er gegen alle Stände;
er bewies jedem derselben diejenige Achtung, auf welche
er vermöge seines Verhältnisses zum Wohle des Ganzen Anspruch machen konnte. (Also etwas Abge-

meffenes, nach Grundfäßen, Gefeßen überall
Geregeltes, fühl Bewußtes). In feinem Aeuf-
fern lag etwas Edles und Erhabenes, die Würde eines
in fich felbft großen Mannes, der ruhige Ernft des
Herrfchers, durch Güte gemildert. Die Achtung, die
man feiner Perfon leiften mußte, hielt derjenigen das
Gleichgewicht, welche man feiner öffentlichen Perfon
fchuldig war."

Das Edle lag wohl mehr in dem geiftigen Ausdruck des Angefichts, die Figur war mehr zart als
erhaben, das Auge flar, die Lippen fein, die Unterlippe
nach Umftänden habsburgifch herabhängend, die Größe
der gebogenen Nafe fignalifirt fein Profil. Er fagte
felbft: Sie haben in allen Dörfern mein Portrait, aber
fie machen es fich leicht, fie malen eine große Nafe und
dann etwas daran, was einem Menfchen ähnlich fieht[1]).

Wir begegnen im Leben wohl ängftlichen Schön-
heiten, auf welche ein Licht eines anderen geiftigeren
Lebens ftrahlt, oft ein Vorbote frühen Todes. Etwas
Aehnliches hatte der Charakter der Erfcheinung Franz
Ludwigs. Sein durchdringendes Auge, dem der Schlechte
gewiß auszuweichen fuchte, warf es zuerft auf fich felbft.

Franz Ludwig genießt noch bis auf den heutigen
Tag eines guten Andenkens bei den evangelifchen Nachbarn. Daß er keine Treib- noch Parforce-Jagden

---

1) Es wurden einige Kupferftiche von Franz Ludwig heraus-
gegeben; über einem fteht der geiftreiche Vers:
  „Hier will, o Bisthum, dir zu einem Angedenken,
  Ein ganz befondres Ey von neuer Gattung fchenken."
Der hiftorifche Verein in Würzburg befizt ein Portrait in
Oel von Lebensgröße.

als Proselytenmacher anstellte, und daß auf ihn das Wort Christi Matthäi 23, 14. 15 nicht fällt, versteht sich von selbst bei einem wahrhaft frommen und erleuchteten Manne, der durch Kirchlichkeit die Sittlichkeit nicht beeinträchtigte. Die Evangelischen, besonders Handwerksgesellen, wurden in den Hospitälern so gut verpflegt als Katholiken, und das ohne geistliche Torturen. Nebst der christlichen Liebe leitete ihn dabei das Bestreben, die Vorurtheile zu lösen, welche die beiderseitigen Konfessions-Verwandten trennten. Es war bis gegen unsere Tage im Frankenland fühlbar.

Eine seiner Verordnungen lautet: Bei Besetzung protestantischer Pfarreien kommt es mir eben sowohl, als bei den katholischen, keineswegs blos auf die Wissenschaftlichkeit an, sondern hauptsächlich auf die Reinigkeit der Sitten, Unbefangenheit des Charakters, Unbescholtenheit des Lebenswandels, überhaupt auf moralische Vorzüglichkeit." Daher solle ihm namentlich darüber ein besonderer Vortrag erstattet werden.

Wir lesen, daß er nicht selten bei der Messe Thränen vergoß. Wagner sagt, ein Mann, den Franz Ludwig bald als Heuchler entlarvte, habe sich bei ihm zu empfehlen gesucht, indem er dem Bischofe diese Gabe der Thränen nachrühmte.

Der Heranbildung und Anfeurung der Geistlichkeit widmete er besonders viele Zeit und Sorge. Nachdem er den Regens des Würzburger geistlichen Seminars die besten Anstalten dieser Art hatte bereisen lassen, ließ er ein geräumiges Gebäude dazu einrichten, um für mehrere Zöglinge Raum zu haben. Als so das ehemalige Jesuitenhaus in das Seminar „zum

guten Hirten" umgebaut wurde, sollte ein Bildhauer
den über dem Eingang stehenden Loyola, Stifter des
Jesuiten-Ordens, in einen guten Hirten umbilden. Als
er eben damit beschäftigt war, bemerkte ein vorüber-
gehender ehemaliger Jesuite: so kann man denn doch
aus den Jesuiten Alles machen! — „Ja, wenn man
ihnen andere Köpfe aufsetzt", erwiederte sogleich der
Bildhauer. (A. 1773 hatte der Pabst den Jesuiten-
Orden aufgehoben).

In Bamberg begegnete er durch eine Befähigungs-
Prüfung den Parteilichkeiten bei der Aufnahme in die
Freipläze des Seminars. — Franz Ludwig besuchte
die Priester-Seminare fleißig, ermahnte die künftigen
Priester eindringlich, manchmal unter Thränen, und
theilte ihnen von seinen reichen Erfahrungen mit. Er
leitete hauptsächlich auf das Herz und auf die Praxis
hin; er ließ die älteren Seminaristen an Fest- und
Sonntagen in seiner Hofkirche predigen und ihnen sein
Urtheil durch ihren Vorsteher bekannt machen: Manche
rief er zu sich und belehrte sie über die Punkte, die er
verbessert wünschte.

Viel hielt er überhaupt darauf, jeden Geistlichen
persönlich zu kennen. Er ließ die Jünglinge am Tage
vor der Priesterweihe zu sich kommen, erforschte bei Jedem besonders, welche Fragen ihm bei der Prüfung vorgelegt worden waren, erkundigte sich um ihre besondern
Umstände und Verhältnisse, gab ihnen väterliche Er-
mahnungen, wobei ihm oft eine Thräne im Auge zitterte.

Er suchte den guten Geist aber nicht nur zu wecken,
sondern auch zu nähren. Seine Hirtenbriefe an die
Geistlichkeit gingen mit Macht von und zu Herzen, und

zielten auf das praktische Christenthum der Liebe Got-
tes und des Nächsten. Es erschienen deren für Würzburg eilf, einer zum Antritt, einer an den sämmtlichen
Klerus, zwei an Lehrer und Schüler in Gymnasien,
einer über den Geist der Kirche bei Auflegung und
Milderung des Fastengebots, ferner von der Nächstenliebe, von der Arbeitsamkeit, von den Quellen und Folgen des Kaltsinnes in der Religion, von der häuslichen
Erziehung, 1793 von dem Verhalten in Kriegszeiten,
als Zeiten der Verführung, 1794 eine Warnung gegen
den falschen Freiheitssinn, und 14 Tage vor seinem
Tode über die Zufriedenheit mit der Landesverfassung.
Oefters ließ er Seelsorger, niedere wie hohe, zu sich
rufen und besprach sich mit ihnen; ohnedieß mußte
jeder neuernannte Pfarrer nach erhaltenem Dekrete und
nach dem auf dem Ordinariate gewöhnlichen Examen,
persönlich auch bei ihm erscheinen.

Die meisten aus den Seminarien als befähigt
Entlassenen sahen, wenn sie keine Gönner im Domkapitel oder unter den Aebten, oder sonst im Adel hatten, auf längere, oft auf 15 und mehr Jahre keiner
erwünschten Stellung entgegen. Die Kaplane auf dem
Lande und die Vikare in der Stadt waren nicht nur
ihren vorgesetzten Pfarrern gegenüber in der Stellung
von Knechten, welche um das Warme und um Kleidung dienen, sondern sie wurden auch bei ihrer jährlichen Vorladung vor die geistliche Regierung nach deren Zeugnissen behandelt. Dieses geschah jetzt in Folge
der persönlichen Bekanntschaft Franz Ludwigs mit
dem Einzelnen nicht mehr so unbedingt, sondern mit
Kritik.

Bernhard, Franz Ludwig. 12

Diese in jeder Beziehung drückende Stellung eines großen Theils der Geistlichen war in allen geistlichen Landen dieselbe. Der geistliche Fürst und das Kapitel, welche miteinander die meisten Stellen zu vergeben hatten, zogen meistenorts in die Wette die Einkünfte der Pfarreien für sich ein, und ließen diese durch hungrige Vikare und Kaplane versehen; so war es z. B. in der gefürsteten Abtei Ellwangen mit den meisten, mit 30 Pfarreien ergangen. Dem Namen nach gehörte Alles der Kirche, in der That den nachgebornen Söhnen des Adels, welche die Fürsten- und Domkapitularen-Sitze inne hatten.

Die jungen Priester von Adel, oder, welche hohe Gönner hatten, rückten dagegen unverhältnißmäßig schnell in selbstständige, gute Pfarrstellen vor [1]). Da der Fürstbischof nicht genug Pfarreien zu vergeben hatte, um dieses Unrecht auszugleichen, betrieb er bei dem Domkapitel die Anordnung, daß kein Priester mehr zu einer selbstständigen Pfarrei präsentirt werden durfte, wenn er nicht wenigstens 6 Jahre als Vikar oder Kaplan in der Seelsorge gewirkt hatte.

Franz Ludwig konnte aber nicht verhindern, daß die Zöglinge seiner Seminarien von älteren, mitunter sehr unwissenden und gemeinen Geistlichen beim Volk als der Ketzerei anrüchig verdächtigt wurden. Noch im 14ten Regierungsjahr unseres Fürstbischofs schreibt

---

1) Bekanntlich ist dieß jetzt noch der Fall auch in einem großen Theile des protestantischen Deutschlands, dem Vernehmen nach besonders stark in Sachsen, nämlich vermöge der Patronats=rechte.

Meiners: „Wenn die jüngeren, wohl unterrichteten Kaplane, Zöglinge des Seminars gegen die, gleich Mönchen für den Aberglauben eifernden, alten Pfarrern von der geistlichen Regierung unterstützt würden (und mehr werden könnten), so würden sie selbst bei dem gemeinen Mann die Oberhand gewinnen. Jetzt hingegen dürfen sich die besser unterrichteten Pfarrer und Kapläne nicht in das freie Feld wagen und der große Haufen hängt deßwegen den Mönchen und deren Affiliirten mehr an, als den Freunden der Wahrheit." Ueberdieß sagt er, die (im Seminar erzogne) Weltgeistlichkeit sei meistens aufgeklärt, die Ordens- (Mönchs-) Geistlichkeit meistens unwissend, daher komme zum Theil, aber auch nur zum Theil, der ewige Streit zwischen beiden. Das Interesse wirkte auch viel dabei mit; die Mönche wußten meist dem guten Volk mehr abzunehmen, indem sie seinem Aberglauben mehr schmeichelten. In der Hauptsache stimmt mit Meiners auch der mönchsfreundliche Sprenle zusammen:

„Unter Franz Ludwig gab es damals zwei Klassen von Pfarreien, die eine wurde von Priestern aus dem Weltklerus, die andere durch Priester aus den Klöstern besetzt. Letztere ließ Franz Ludwig nie ständig werden. Sie wurden unter der Benennung Kurati, Pfarreiverweser, geführt, blieben ihren Prälaten nach wie vor und ihrem klösterlichen Ordensverbande untergeordnet, und waren blos in der Pastoralamtsführung dem Bischof unterworfen und verantwortlich. Beim geringsten Mißstand eines nicht anständigen Betragens, oder bei zunehmendem Alter, in welchem ein solcher Klosterpfarrer die lästigen Lehr- und Amtsver-

* 12

ichtungen pünktlich zu erfüllen sich nicht mehr für
gewachsen fühlte, stand es dem Prälaten frei, die Seelsorge mit einem andern Kräftigen und Unbescholtenen
zu besetzen, und denselben in dieser Hinsicht der bischöflichen Behörde zu präsentiren. Dadurch erzielte der
weise Bischof eine edle Nacheiferung. Denn während
er in einer gewissen Gegend das Privatleben einiger
Pfarrer durch Kommissarien prüfen und ihr Hauspers-
sonal sichten ließ, standen die Klosterpfarreien der näm-
lichen Gegend, mit trefflichen Männern besetzt, welche
das vollste Vertrauen und die Liebe ihres Pfarrvolks
genoßen, so daß der Name: Mönchspfarrer damals
noch ein Ehrenname beim Volke war, so wie er später, wenigstens im Munde derer, die, nach Franz Ludwigs Ausdruck, den Studenten noch nicht ausgezogen
haben, ein Schimpfname geworden ist."

„Ein Stand, der keinen Rivalen mehr hat,
schließt Sprenke, wird lau und träge, sinkt so immer
tiefer, weil der Hebel der Nacheiferung nicht mehr
da ist."

Geistliche Professoren der Universität hatten neben
schwacher Besoldung Antheil an den Einkünften des
Domkapitels als Domicellare (niedere Domherrn), suchten sich aber gegen das zeitraubende Chorsprechen, Morgens und Abends, zu verwahren. Die Domvikarien,
welche dieß täglich dreimal, eine Stunde, für die ober-
lichen Domherrn zu thun hatten, kamen mit ihren
300 bis 500 fl., neben freier Wohnung, kaum aus.
Das heftige Singen im Chor zog nicht nur Vielen,
wie den Mönchen, unheilbare Brust- und andere Schä-
den zu, sondern soll auch durch Abspannung (wie bei

vielgeplagten Präceptoren) oft einen beinahe unwiders
stehlichen Reiz zum Trunk hervorgebracht haben [1].

Wie sehr das Domkapitel den Fürstbischof auch
in seiner nächsten Nähe spannen konnte, sehen wir an
dem allerdings originellen, witzigen, wie man jetzt sagen würde: geistreichen Prediger am Dom, dem grei-
sen P a t e r W i n t e r. Er war einer der größten
Eiferer gegen das was er Aufklärung nannte, der
Liebling des gemeinen und besonders des Landvolks.
Seine Witze waren für Stadt und Land ein Gegenstand der Unterhaltung, wie die eines Komikers auf
dem Theater. Indem er auf seiner Kanzel für den
Rosenkranz eiferte, rief er: diese Neurer sind von mir
längst verworfen worden, und wenn Einer derselben
zu mir käme, so wollte ich ihn behandeln, daß er die
Thür kaum finden sollte! — Mit ungewöhnlich erho-
bener Stimme fragte er dann: was sind diese Neurer? und nachdem er durch eine Pause die Aufmerksamkeit gespannt hatte, gab er die erhabne Antwort:
Esel sind sie! — worauf die andächtigen Zuhörer in
ein frommes Gelächter ausbrachen.

Mit den Neurern meinte er, nach Meiners Versicherung, besonders die Zöglinge des Seminars, welches Franz Ludwig so genau überwachte.

Die verhärteten Sünder und Sünderinnen redete
er an: „ihr Buben beiderlei Geschlechts!" Besonderes
Glück scheint unter anderem seine Frage an seine

1) Während ein mehr anbetender als didaktischer Kirchen-
auch wohl Chorgesang derzeit von gebildeteren Protestanten angestrebt wird, war den Aufgeklärten der alten Zeit das, gewiß
übertriebene Chorsingen ein Dorn im Ohre.

andächtigen Zuhörer am Erscheinungsfest gemacht zu haben: was habt ihr aber in euren Büchsen? — Lautes
Gelächter war die Antwort; denn Büchse bedeutet in
Franken, wie in Niedersachsen, auch die Hose. — Obgleich nun Franz Ludwig sehr auf praktische Beredt-
samkeit drang, so mochte er wohl durch solche Popularität etwas minder erbaut seyn. — Von Heß erzählt:
An hohen Festtagen predigt er selbst. Seine Reden
sind kurz und was er vorträgt ist reine einfache Sit-
tenlehre. In einer am Ostertage gehaltenen Predigt
sagt er: „Der Stolze, der die Vorrechte seiner Geburt
aus 16 Ahnen behauptet, oder auf seine Gelehrsamkeit
einbildnerisch große Titel besitzt und Andere gering schätzt,
gehe in sich, damit er der Stolze nicht sei." — Am
Ende seiner Predigt heißt es: „Aber da ich für Andere bete, laß mich selbst erst den Weg der Tugend
betreten, damit, da ich wider Aergerniß predige, nicht
selbst Aergerniß gebe; damit, wenn ich gegen die Sünde
rede, ich ihnen nicht selbst ein Stein des Anstoßes sey.
Der Du Dein Volk öfters mit übeln Regenten heim-
suchst und gestraft hast, mache, daß ich mein Vorsteher-
amt nicht unwürdig verwalte; daß es mir nicht zur
Verwerfung diene, leite Deinen Diener auf den Pfad
der Wahrheit und Gerechtigkeit, entzünde in meinem
Herzen den Diensteifer zu Deinem Heiligthum, laß
mich selbst das gute Beispiel geben, das ich von Andern verlange, erneure den ächten Geist in meinem
Innern, daß ich, wahrhaftig auferstehe." — Soweit nach
v. Heß. — Welche Kraft hatten diese Worte in dem
Munde eines solchen Bischofs und Fürsten! er predigte
nicht blos den Armen, auch einem hohen Adel, Domkapitel

und Fürsten. Er predigte nicht selten auch auf dem
Lande; dieß geschah besonders während seiner Visitationsreisen, welche selbst in entlegnen Bergdörfern
abgehalten, noch im Andenken des Volks fortleben.
Es machte auch auf die benachbarten Evangelischen
einen tiefen Eindruck, den Fürstbischof zu sehen, wie
er innerhalb dreier Jahre über hundert Gemeinden heim-
suchte, täglich Sakramente, das H. Abendmahl, die
Firmelung und reiche Wohlthaten ertheilte, Kirchen und
Schulen visitirte, eine Messe hörte, eine hielt, täglich
predigte. Der freundliche Bibliothekar in Bamberg
zeigt noch die von ihm lateinisch verfaßten Predigten
und Entwürfe dazu, welche er dabei beinahe täglich
hielt. Ueberdieß hatte er immer einen Regierungs-Re-
ferendär bei sich, um die Regierungsgeschäfte auf dem
Laufenden zu erhalten. Weder die Rhön, noch die
Waldgebirge im Bambergischen, kein Unwetter, keine
noch so schlechte Wohnung schreckte ihn ab, bis nicht
nur die Aerzte, sondern sein Nervenleiden ihm dieses
aufreibende Berufsgeschäft entschieden verboten.

Söltl erzählt uns darüber: „Nicht blos durch Andere wollte er wirken, nicht blos mit den Augen Anderer aus den Berichten sehn, sein eignes Beispiel
sollte dem Volke in Frömmigkeit vorleuchten, er wollte
seine Beamten, seine Geistlichen und das Volk selbst
kennen lernen mit seinen Bedürfnissen, Vorurtheilen
und Schwächen, seiner Sittlichkeit und seinen Tugenden. Das Landvolk sollte ihm näher gebracht werden
und nicht weite, beschwerliche Wege, nicht Witterung,
hinderten ihn, seine Bisthümer öfter zu bereisen. Er
setzte sich in den rauhesten Jahreszeiten zu Pferde,

entzog sich wochenlang die nächtliche Ruhe, blieb halbe Tage lang in Seele und Leib anstrengenden bischöflichen Verrichtungen. Dann besuchte er die Schulen, auch die Kranken in ihren niederen Hütten, sprach mit den Familienvätern, mit der Jugend; er predigte in den Landkirchen und erklärte dem Volke die Wahrheiten des Christenthums in leicht verständlicher, eindringlicher Weise."

Wohl diese Visitations-Reisen besonders haben bewirkt, daß Franz Ludwig noch in den früher würzburgischen und bambergischen Landen unter dem schönen Namen des „Fürstherrle" vor den Andern genannt und charakterisirt wird.

Wir sind nun auch in Stand gesetzt zu urtheilen, was daran ist, wenn der etwas mönchisch-polternde Pfarrer Sprenke meint: „Franz Ludwig war mehr Fürst als Bischof, ohne den Eigenschaften und Pflichten dieses etwas zu vergeben", während dessen weltlicher geheimer Referendär seine Beamtenstimme dahin abgibt: er habe manchmal den Regenten über dem Bischofe vergessen. — Fällt nicht vielleicht dieser sich widersprechende Vorwurf auf die beiden Beurtheiler und die Einseitigkeit ihrer Standpunkte zurück? Derselbe Wagner, so lange Jahre seine rechte Hand in den würzburgischen Staatsgeschäften, legt aber das Zeugniß für Franz Ludwig ab: „Ob er gleich in Rom war, so war er doch von den ultramontanen Grundsätzen nicht angesteckt; er kannte recht wohl die Rechte, die ihm als Bischof zustanden, und er wußte sie auch gegen Rom zu behaupten." —

Es darf wohl als bekannt vorausgesetzt werden,

daß gegen Ende der 1780er Jahre die deutschen Erzbischöfe, den Erzherzog Maximilian, Bruder des Kaiser
Josephs, Kurfürsten zu Köln, an der Spitze, ernstlich
versuchten, die katholische Kirche in Deutschland in mehreren Punkten der römischen Kurie gegenüber selbstständi-
ger hinzustellen und wichtige Rechte selbst zu Handen
zu nehmen. Die römische Kurie grub dieser Mine eine
Gegenmine durch Aufstellung von Nuntien, besonders
in München, wo sie sich auf die Regierung stützen
konnte.

Der Münchner Professor Söltl sagt darüber:
„Seine Würde als deutscher Fürst und Bischof wußte
er auch Rom gegenüber geltend zu machen und seine
Rechte zu wahren, und kaum war der päbstliche Nuntius in München angekommen, als der bambergische Re-
sident in Rom den Auftrag erhielt, anzufragen, ob derselbe
mit Fakultäten, oder mit Gerichtsbarkeit (mit Beeinträch-
tigung des höheren deutschen Episcopats) versehen sei,
in welchem Falle man sich mit den übrigen deutschen
Erzbischöfen und Bischöfen zur Wahrung seiner Rechte
verbinden würde. Obgleich darauf sogleich geantwor-
tet wurde, daß dieser Nuntius so wenig als jener in
Cöln, einen Eingriff in die Rechte der deutschen Bischöfe machen würde, so beantwortete man doch nicht
einmal die Ausschreiben desselben von seiner Anstellung
und Ankunft in München.“ — Nach der Versicherung
eines entschiednen Schülers von Möhler wäre die Schrift:
„Bemerkungen über das Resultat des Emser Congres-
ses mit deutscher Freimüthigkeit entworfen. Athen (Bamberg) 1787, von dem Bamberger Kanonisten Joh. Schott
in diesem Sinne, nach den Grundgedanken Franz Ludwigs

geschrieben. Den Geist seiner Reformen in Religions-
sachen charakterisirt er selbst in einer seiner wiederholten Verordnungen zu Abschaffung von Feiertagen, in
den Worten: „Selbst wir sind nicht ohne alle Besorg-
niß, daß jedes gelindere Mittel fruchtlos seyn möge.
Allein einem unserer Grundsätze zu Folge, nach welchem ordentlicher Weise Mäßigung einem raschen Verfahren vorzuziehn und stufenweise zum Zweck fortzuschreiten ist, wollen wir zur Zeit nichts was eigentlich
Zwang heißt verordnen, um unsere Unterthanen zur
Arbeit an aufgehobenen Feiertagen zu bringen."

Daß er die Kirchstrafen, welche in Geld oder in
Wachs hatten bezahlt werden müssen, und nächtliche
Gottesdienste, wegen dabei leicht mitunter laufender
Unordnungen abschaffte, lag schon im ganzen Zug der
Zeit, einer Zeit, über welche wir freilich weit hinaus
sind. Geistliche Fürsten, wenn sie aufgeklärt waren,
wußten solche Reformen, vermöge ihrer doppelten Gewalt über die Geistlichkeit, eher durchzuführen, als
schwache weltliche Fürsten.

18) Hofhaltung. Anekdoten.

Ueber seinen Haushalt legt Leibes folgendes Zeugniß ab: Das Beispiel des Verewigten wirkte gleich
wohlthätig auf alle Stände, auf die hohen und die
niedern; denn er vereinigte die Tugenden aller Stände
in sich. Er liebte den seiner Würde angemessenen
Glanz; aber er liebte den eiteln Prunk nicht: er war
einfach in seiner Kleidung, ferne von aller Weichlichkeit, Feind von allen lärmenden und geräuschvollen
Ergötzungen, und mit Anstrengung arbeitsam. Durch

sein Betragen beschämte er den Hang zum Luxus, die
Verschwendung, die thörichte Eifersucht sich voreinan-
der auszuzeichnen, und das schädliche Ringen der är-
meren Familien, den reicheren durch Aufwand immer
näher zu kommen. Er rettete die Tugend, rettete den
Wohlstand seiner Unterthanen, und lehrte sie durch sein
Beispiel Sparsamkeit, Nüchternheit, Arbeitsamkeit und
gute Wirthschaft.''

In seinem Testament bat er die Domkapitel, seine
Geldvermächtnisse an seine Kammerdiener zu bestätigen, denn „meine Garderobe war weder glänzend, noch
kostbar; die Garderobe-Gelder, welche ich bezog, verwendete ich meist ad pias causas (Wohlthätigkeit);
meine Kammerdiener hatten also aus den Kleidungen,
die ich ablegte, keinen Nutzen.'' Wenn ein referirender
Beamter in neuem Rocke beim Fürsten eintrat, so
musterte ihn dieser und fügte wohl bei, einen so schönen Rock möchte ich auch haben.

So war auch sein gewöhnlicher Tisch einfach. Leibes erinnert die Würzburger daran, wie Franz Ludwig
durch wohlfeile Abgabe von Frucht oder durch Geld-
unterstützung an die Bäcker ihnen wohlfeiles Brod in
der theuren Zeit besorgte: „Wir aßen alle davon und
danken es dem Wohlthäter. Dieses frohe Gefühl,
Tausende gespeist zu haben, das der Hochse-
lige genoß, war nach eingenommener Tafel
sein süßester Nachtisch.''

Betrachtete er die Staatsgelder als ein heiliges,
ihm anvertrautes Pfand, wie die frommste Stiftung, so
noch mehr die Zeit, das wichtigste Kapital, das ein Fürst
seinem Lande zu verzinsen hat. Kurz vor Mitternacht

legte er sich zu Bette und stand frühe auf, wenn die
Leute oft erst von ihren späten Lustbarkeiten nach Hause
taumelten. Erholung genoß er eigentlich nur durch
Lesen guter neuerer Schriften, besonders über Staats-
wirthschaft, denn er hielt darauf, mit dem Zeitgeiste
fortzuschreiten. Leider vermied er nicht nur jede un-
nütze Zeitverschwendung, sondern auch die Erholung;
so geschah es, daß er das Kapital der Zeit selbst,
sein Leben angriff, es aller Wahrscheinlichkeit nach sich
sehr verkürzte. Wie Könige der alten Mythe, wie
ein Kodrus, opferte der priesterliche Fürst seinem Volke
freiwillig, verzehrte er dafür sein Leben. Er entging
aber dadurch schweren Schicksalen, indem bald nach
seinem Tode sein Land der Schauplatz des Krieges,
anderthalb Jahre darnach nahe bei Würzburg (2. und
3. Sept. 1796) einer Schlacht zwischen Erzherzog Karl
und Jourdan wurde, sein Nachfolger wiederholt länger auf der Flucht seyn mußte, und endlich entging
er so der Sekularisation, welche eintrat, sobald Oestreich sich überzeugt hatte, daß es nur durch Preisge-
ben dieser seiner treusten Bundesgenossen, der geistlichen
Fürsten, sich vor noch weiterem Verlust an eigenem
Land und Leuten bewahren könne. Sein Bruder in
Mainz überlebte das Alles.

Und nun noch Anekdoten, die bis gegen unsre
Tage im Munde seiner Hofbedienten fortlebten. Was
wäre eine Fürsten-Geschichte ohne Kammerdiener-Ge-
schichten!

So sparsam er für seine Person war, so schön
waren seine Hoffeste; seine Tafel, der Paradeplatz der
geistlichen Magnaten, war sehr gut bestellt, wenn er

Gäste hatte. Berg rühmt es in seiner Trauerpredigt, daß er die Kost am Hofe verbessert habe. Einige Gäste lobten einmal ausnehmend den Geschmack der Fische und wünschten ihre Bereitung zu wissen. Der Koch wurde vom Fürstbischof in den Speisesaal berufen. Es war das ein großes Ereigniß, keine Emeute, nein, eine Revolution in den Augen des Hofgesindes. So etwas war unerhört. Der Fürst sprach das Wohlgefallen der Gäste an seinen Fischen gegen den Koch aus und verlangte Bescheid, wie sie zubereitet würden. Der Koch fing nun seinen Bericht an: Zuerst siede ich die Fische in Fleischbrühe ab; — was? fiel der Fürst ein, ich faste mit Fleischbrühe? das wage Er nicht mehr zu thun!

Die nächsten Male waren die Fische geschmacklos, vielleicht mit Absicht. Da sagte der Fürstbischof zum Koche: Bereite Er seine Fische wie Er will. Ich muß nicht Alles wissen. Die strengste Etikette herrschte; die vertrautesten Räthe, mit denen er Stunden lange berieth, mußten immer den Hut unter dem Arm halten.

Die ungemein gleichmäßige Puderung des Mundschenken fiel dem Fürsten auf und dieser sagte ihm, so gut sei er selbst nicht gepudert, wie ers denn mache? — „Ich setze mich, etwas rückwärts gelehnt, auf einen Sessel und blase das Pudermehl durch einen Papiertrichter in die Höhe, so daß sich ein Theil davon beim Niederfallen auf meinen Kopf leicht setzt, dann zirkle ich es so aus, daß der Puderschnepp regelrecht in die Stirne hereinsteht.“ Eine solche Verschwendung hätte der Fürst sich nicht zugestanden.

Der Keller war natürlich eine Hauptzielscheibe aller Hof-Handwerksleute. Man erzählt noch von

einem alten Hofbeamten, der schon Vormittags die
Leute anzureden pflegte: Ihr faulen Kerle, mögt Ihr
denn noch nicht trinken? — Die Schloffer hatten das
ganze Jahr Thüren auszuheben und zu schmieren. Bei
den schwereren brachten sie ihren ganzen Anhang mit.
Gewöhnlich erhielten sie eine Anweisung auf eine Maas.
Nun fand sichs, daß sie Anweisungen mit zehn Maas
brachten. Sie entschuldigten sich, es sei wohl von einer
schmuzigen schwarzen Schloffershand unversehens eine
Art von Null hinter das eins abgedruckt worden. Das
ging einmal noch hin.

Eines Tags traf er die Keller-Gesellen bei einigen Handbütten — man gebrauchte damals noch keine
Bütten auf dem Rücken. — Er fragte sie, nach seiner
väterlichen Gewohnheit, ob alles recht wäre, ob sie
nichts zu klagen hätten. Sie verneinten dieses, nur,
sagte der Eine, haben wir da einen so faulen Tagelöh-
ner, der will nicht einmal das Schwenkwasser da in den
Handbütten hinaustragen. Der Fürstbischof bedrohte
den Taglöhner, dieses sogleich zu thun. Hernach erfuhr
er, daß die Bütten mit Wein gefüllt und die Bursche,
als er eintrat, eben im Begriffe waren, sie bei Seite
zu schaffen. Der Lügner wurde entlassen.

Wie viel Franz Ludwig darauf hielt am rechten
Ort sich als stattlichen Reichsfürsten zu zeigen, erwies
sich glänzend nach zwei Kaiserwahlen. Die neugekrönten Kaiser nahmen häufig ihren Weg von Frankfurt
über Würzburg und durch einige der größeren Reichsstädte, welche sie durch unvermeidliche Geschenke für
diese Ehre in empfindliche Unkosten sezten. Besonders
glänzend war während des spanischen Erbfolgekriegs

12. Januar 1712 der Empfang Kaiser Karls VI. in
Würzburg gewesen, vor welchem der Fürstbischof seine
7000 Mann Truppen paradieren ließ. Ueber der Tafel hatte Karl, der zugleich sich König aller spanischen
Lande in der alten und neuen Welt nannte, die Nachricht von der Entsetzung der Festung Cordova erhalten. Zu Fortschaffung seiner ganzen menschlichen Ba-
gage, Gefolge genannt, bedurfte es 96 Wagen zu je
6 Pferden und 60 Reitpferde, also 636 Pferde [1]).

Franz Ludwig ließ sichs 80,000 fl., meist für
Beleuchtung des Marienbergs und Hofgartens, und für
Silbergeschirr, kosten, als 17. Oktober 1790 Kaiser
Leopold II. von der Kaiserkrönung bei ihm einsprach.
Der längst nicht mehr gesehene Glanz hat sich in der
Erinnerung der ältesten Würzburger noch hell erhalten.
Manches darüber erzählte Witzwort, über den Pfarr-
hof und die Bergleute des Hochstifts wird wenigstens
fälschlich dem König von Neapel in den Mund gelegt;
denn dieser wurde durch Unpäßlichkeit am Besuche

---

1) Je weniger reelle Macht der Kaiser im deutschen Reich
bekam, mit einem um so unnöthigeren Troß von Gesinde umgab
er sich. Man wird an den Troß der Perserkönige und des Groß-
moguls erinnert. Diese Masse wälzte sich natürlich langsam vor-
wärts. Sonst reisten wenigstens hohe Herrschaften damals gar
nicht so langsam, als wir uns vorstellen. Auf den Zweifel Wagners, ob der Kaiser Leopold II. in Einem Tage von Frankfurt nach
Würzburg gelangen werde, antwortete Franz Ludwig: Anno 1774,
wo mein Bruder zum Kurfürsten von Mainz gewählt wurde, ging
ich auf Kiliani (des Schutzheiligen von Würzburg) Oktav nach
der großen Prozession, gegen 10 Uhr, früh von hier weg, und ob
ich gleich weder Kaiser noch damals Fürst war, so kam ich doch
schon vor Abend nach Frankfurt.

verhindert. Franz Ludwig zeigte dem Kaiser seinen Julius-Spitalbau; als er diesen um sein Urtheil fragte, soll der Kaiser auf die senk- und waagrechten Eisen-Gitter der Fenster und auf das Ziegeldach deutend, gesagt haben, es komme ihm vor wie ein Zuchthaus. Darauf habe Franz Ludwig ausgebauchte Gitter und ein Schieferdach verordnet. Den ersten Tag soll er als Bischof, am folgenden als weltlicher Fürst und Herzog zu Franken seine Gäste, mit dazu wechselnden Livreen bewirthet haben. Gewiß ist und bezeichnend, daß die schöne Beleuchtung Würzburgs als bleibendes Andenken an diesen hohen Besuch blieb.

Im Juli 1792 wiederholte der neugekrönte Franz II. den kaiserlichen Besuch, Franz Ludwig den fürstlichen Empfang; dieser wurde nach wenigen Tagen verändert, wieder aufgeführt für den König von Preußen, Friedrich Wilhelm II., den dicken Nachfolger des großen Friedrich. Der ihn begleitende Kronprinz, der nunmehrige Höchstselige Fr. Wilhelm III. soll in Würzburg unangenehme Stunden im Hausarrest zugebracht haben, womit ihn sein Herr und König für voreilige Reden bestrafte. Man sagt, Franz Ludwig habe seine Bedenken und Mißfallen an dem Angriffskrieg gegen Frankreich ausgesprochen, und der sonst so bescheidene Prinz soll ihm angedeutet haben, das verstehe ein geistlicher Herr nicht.

19) Aeußere Politik.

Die äußeren Verhältnisse der beiden Hochstifte waren zunächst durch das deutsche Reich und den fränkischen Kreis vermittelt. Würzburg saß im Reichsfürstenrathe

zu Regensburg auf dem fünften Sitze der geistlichen
Bank; auf den fränkischen Kreistagen behauptete es
den ersten. Nach einem noch von Franz Ludwig ein-
geleiteten, 1795 errichteten Staatsvertrage war Bamberg mit Brandenburg (für Ansbach und Bayreuth)
erster mitausschreibender Fürst und Kreisdirektor des
fränkischen Kreises, in den Versammlungen selbst aber
alleiniger Direktor. Denn während das brandenbur-
gische Haus die Oberleitung und das Kommando der
Kreistruppen, unter dem Titel eines Kreisobersten oder
Generalfeldmarschalls in festen Händen hatte, war das
Kanzlei-Geschäft (wie im Mittelalter) großentheils in
geistlichen Händen.

Diese waren sehr verwickelt, weil Franken nebst
Schwaben der vielgetheilteste Kreis war. Es hatte
eine Bank geistlicher Fürsten, worauf auch Eichstädt
und Deutschmeister, und eine weltliche Fürstenbank,
worauf acht saßen, darunter auch Kursachsen und Hes-
sen-Kassel wegen Parzellen; auf der Grafen- und Her-
ren-Bank waren zehn; dazu fünf Reichsstädte, worunter
Nürnberg und Rothenburg, und die sechs unmittelbaren reichs-ritterschaftlichen Kantone, durch welche der
einzelne reichsunmittelbar genannte Ritter mittelbar mit
dem Reichskreise und durch diesen mit dem Reiche ver=
kehrte.

Der Flächeninhalt letzterer war gar nicht zu berech-
nen, nicht wegen ihrer großen Ausdehnung, sondern wegen der Zerstückelung; der der 23 unmittelbaren Reichs-
stände berechnete sich auf 490 Quadratmeilen. Das
größte Territorium unter allen hatte Würzburg, und
mit Bamberg vereinigt bildete es 160 Quadratmeilen

mit 450,000 Einwohnern [1]) gegen das vereinigte Ansbach-Bayreuth mit seinen 140 Quadratmeilen und
385,000 Einwohnern.

Zu Anfang des französischen Revolutionskrieges
sollte das Kreiskontingent auf 8,200 Mann zu Fuß

---

[1] Während das damalige Württemberg kaum auf 140 Quadratmeilen geschätzt wurde, hatte es weit über 100,000 Einwohner
mehr als die beiden vereinigten Fürstbisthümer. Besonders württembergische Statistiker suchten ihrem Lande die (jetzt so gern ab-
gelehnte) Ehre beizuzählen, daß es im ganzen Reich am meisten
Seelen auf die Quadratenmeile habe. Man beschuldigte sie, daß
sie zu dem Endzwecke die Zahl der Quadratmeilen unterschätzten.
Dazu suchten einige derselben auch die möglichst hohe Kopfzahl
des Wilds dem Herzogthum zu vindiciren. — So macht sich jedes
Zeitalter seine sonderlichen Götzen, sein sonderliches Rühmen! —
Ihre stärkere Bevölkerungszunahme gab damals, nebst dem Ruhm
Preußens, den Protestanten in Deutschland eine hohe Meinung
von sich; jetzt steht man mehr auf den Nahrungsstand. Das
Erzbisthum Kur-Mainz zählte nur 125 Quadratmeilen mit
320,000 Unterthanen, welche sehr zerstreut lebten: das Erzbisthum Kur-Köln 60 Quadratmeilen, mit 70,000 Einwohnern,
(denn die Stadt Cöln war Reichsstadt). Nicht umsonst hatte den
Rang vor ihm das Erzstift Kur-Trier mit 151 Quadratmeilen
mit 280,000 Unterthanen. Der einzige deutsche Erzbischof, der
nicht zugleich Kurfürst war, saß zu Salzburg, welches Erzstift
auf 240, meist gebirgigen Quadratmeilen nur 250,000 Einwohner, zum Theil von Industrie nährte, nachdem gegen 30,000 der
besten Unterthanen seit 1730 durch religiöse Intoleranz aus dem
Lande gedrängt worden waren. Diese alle und viele andere geistliche Souveränitäten fielen bald darauf unter der Sense der Mediatisirung in den Futterstuhl sowohl katholischer, als protestantischer Fürstenthümer. Das Staunen war aber auch nicht minder
groß, als wenn heute Deutschland unter Ein Haus zusammenge-
faßt würde. — Man sagte, der Zeitgeist habe es verlangt, die
Nothwendigkeit es vollführt.

und 700 Reiter erhöht und einheitlicher organisirt werden. Würzburg und Bamberg aber widersprachen und
stellten ihr Kontingent auf dem alten Fuße, was die
Unordnung nur vermehrte. Franz Ludwig hatte sich
hier dem Besseren gewiß darum widersetzt, weil er
fürchtete, Brandenburg werde dann die Kriegsangele-
genheiten des Kreises ganz an sich reißen und es werde
dieses zu einer preußischen Mediatisirung Frankens führen. Gegen eine solche sträubte er sich aber eben so
wohl, als gegen eine östreichische; eine bairische ahnte
er wohl nicht.

Das Glück, dem fränkischen Kreise anzugehören,
war aber zu übersehen. Die Getheiltheit führte zu
endlosen, kostspieligen Konferenzen, und nur Weniges,
wie gemeinsame Straßenbauten, Armenpolizei, Abschaffung der Lotterie, wurde nach langen Umwegen zu
Stande gebracht.

Fränkische Patrioten verglichen unwillig ihre Verhältnisse mit denen des obersächsischen Kreises, welcher
größtentheils aus Preußen und Sachsen bestand. Der
fränkische Kreis hatte hohe und niedere Kreischargen,
Kreiskassen- und viele andere Aemter. Von diesen allen
wußte der Obersachse nichts. Eine drückende Luftsäule
lastete auf den Franken: nebst seinen persönlichen Schulden, die Gemeinde-, Landes-, Landesherrn-, Reichs-,
(seit 1793) noch Kreis-Schulden, alljährliche Kreis-
Römermonate. Die beiden letztern kannte der Obersachse
nicht. Trotz der sieben Vortheile der Kreiseintheilung,
welche die alten Publicisten vorzählten, schien den meisten Bürgern der Nachtheil überwiegend; die Denken-
den wußten wohl, daß dieß von der Zerstückelung des

13 *

Landes herkam. Der deutsche Merkur von 1798 schreibt: „Bei den häufigen Kriegen, die das Reich geführt hat, ohne es eben zu wollen, waren diese Kreisanstalten eine traurige Gelegenheit für die Stände, um außer ihren eignen, noch Schulden in corpore zu machen; und gerade diejenigen Kreise, die sich zum Heil des Ganzen mit unaufhörlichen Versammlungen oder Disputir-Uebungen im deutschen Staats- und Ceremonialwesen recht sauer machten (eigentlich machen mußten), geriethen in das vornehme Unglück des Schuldenwesens, dem andere Kreise entgingen, deren Stände seit dem vorigen Jahrhundert zu Hause blieben und jeder für sich allein sorgte."

„Diese Bemerkung leitet von selbst auf den Schluß: daß die Lebendigkeit der Kreisverfassung, die vielen Kreistage, Kreisassociationen und Kreiskorrespondenten zu unserem deutschen Nutz und Frommen eben so entbehrlich, als nachtheilig sind, wie wir daraus ersehen, daß andere Kreise ohne sie sich nicht schlechter beholfen haben. Zum Beispiel mag das Schulden- und Ausgabe-Barometer des fränkischen und obersächsischen Kreises dienen" [1].

Franz Ludwig, welcher seine besten Jahre mit der Reform des Reichsgerichtshofes in Wetzlar [2] und am

---

[1] Ohne irgend die Thatsachen bestreiten zu wollen, müssen wir doch bemerken, daß doch für so kleine Staaten die Kreisconvente zu obigen Anstalten, welche nur gemeinsam gedeihen konnten, nothwendige Uebel und nach Umständen — wie jetzt Manches — ein relativer Vortheil waren.

[2] Noch während des Drucks haben wir eine Darstellung der so sehr verzögerten Reform dieses Reichsgerichtshofs und der

Reichstag zu Regensburg zubrachte, hatte damit die
rechte Vorschule der Geduld, der Kenntnisse und Uebung in Handhabung verwickelter Verhältnisse durch-
gemacht.

Ganz wahr bemerkt Söltl: Durch sein Kommis-
sariatsgeschäft am Reichsgericht zu Wetzlar sowohl, als
beim Reichstage zu Regensburg wurde die Umsicht und
Würde, die schon in seiner Natur lag, gesteigert und
damals ward ihm der gemäßigte Gang in allen seinen nachmaligen Entschließungen eigen, da seine Verhältnisse sowohl zu dem kaiserlichen Hofe, als zu den
deutschen Fürsten und ihren Gesandten die größte Umsicht erforderte, und er bei seinen diplomatischen Berichten jene abgemessene, nach allen Seiten hin ab-
wägende Sprache sich angewöhnte, die Niemand beleidigt
und die Wahrheit stets auf die schonendste Weise ent-
hüllen soll."

Die schwierige Stellung des Diplomaten, besonders des Deutschen, wird Vielen eine Schule der Ver-
stellung, Manchen aber, namentlich unserem Franz

---

damit verschlungenen Grafenhändel eines Genaueren nachgelesen.
Der gründliche Landshuter Professor Milbiller weist nach, daß
allerdings Kur-Mainz bei dieser Gelegenheit versuchte, die protestantische Reichshälfte auf dem Reichstag um eine Stimme auf
der Grafenbank zu übervortheilen. Kein Wunder, wenn jene sich
wehrte! Eben so natürlich war es, daß besonders Preußen dem
dahinter versteckten Plan, dem Hause Habsburg die reichsoberrichterliche Gewalt zuzuprakticiren, entgegentrat. Nachdem über diesen Händeln der Reichstag von 1780 an vier bis fünf Jahre aus
der gewöhnlichen in völlige Unthätigkeit gerathen war, wurde
beiderseits das Billige zugestanden, und 1788 trat eine theilweise
Reform in Wetzlar ins Leben.

Ludwig, war sie eine Schule der Selbstüberwindung
geworden. Die darauf gegründete Weisheit und Umsicht verschaffte ihm nicht nur bei seinen Kreisgenossen
starken Einfluß; der pfalzbairische und württembergische
Hof erholten sich 1792 bei ihm Raths wegen der Stellung zu Frankreich.

Wie sehr die Bischöfe von Würzburg, besonders
wenn sie es zugleich zu Bamberg waren, auch nach
außen auf ihr fürstliches Ansehen hielten, bewies
1742 der jagdmüthige Fürstbischof Friedrich Karl zu
Frankfurt. Bei seiner Ankunft wurden die Kanonen
nicht gelöst, ja beim Vorüberfahren an der Haupt-
wache wurde das Spiel nicht gerührt! Auf die Erklärung des Magistrats, daß dieß nur Kurfürsten und
Wahlgesandten gebühre, drohte er, wenn dieser Fehler
nicht sofort gutgemacht würde, den sämmtlichen, gegenwärtig die Frankfurter Messe besuchenden Bamberger
und Würzburger Kaufleuten den Befehl zu geben, Frankfurt sogleich zu verlassen und nie mehr die Messe zu
besuchen. Weiter aber, es dürfte künftig von den beiden Hochstiften weder Wein, noch Getreide, Vieh, Holz,
Schmalz, noch andere Bedürfnisse nach Frankfurt gebracht werden, und es würde in denselben von jedem
Frankfurter Eigenthum ein besonderer Zoll erhoben werden. — Daß er damit seinen eignen Landeskindern
ins Fleisch geschnitten hätte, kümmerte den Landesvater nicht. Uebrigens verrechnete er sich nicht; der Kaiser gab natürlich den Bürgern Unrecht, denn durch
solche Mittel wußte man stolze Reichs-, besonders geistliche Fürsten im östreichischen Interesse zu erhalten.

Die geistlichen Fürsten wurden als geistliche und

als gewählte, von den weltlichen, auch von den ihnen
an Macht weit nachstehenden Erbfürsten Deutschlands
doch als minorum gentium, als Halbfürsten angesehen,
daher die geistlichen Fürsten sich um so mehr durch
Pracht und manche durch Gewaltthätigkeit gegen die
benachbarten Reichsstädte geltend zu machen suchten.

Auch unser Franz Ludwig war von dieser Schwäche
nicht frei, wir haben nicht nur schon gesehen, wie er
durch die Nachricht, es sei in auswärtigen Angelegenheiten etwas zu entscheiden, stets unfehlbar sich bestim-
men ließ, alles Andere sogleich liegen zu lassen, und
daß man dieß als eine Schwäche auszubeuten wußte.
Er war sehr argwöhnisch in Betreff der Verbindung
seiner höheren Beamten mit auswärtigen Höfen und
darum auch rücksichtlich auswärtiger Orden. In auswärtigen Angelegenheiten zog er außer dem betreffenden geheimen Referendär Niemanden zu Rath; eifer-
süchtig wachte er darüber, daß es das Ansehen haben
mußte, er habe darin Alles selbst bestimmt und gethan;
er verlangte natürlich bis zu seiner Endentscheidung
die strengste, ausgedehnteste Discretion.

Die durch den westphälischen Frieden, dieses eben
so beklagenswerthe Ende des beklagenswerthen Reli-
gions- und Bürgerkriegs, vom Ausland und zu dessen
alleinigem Vortheil, allen Fürsten, auch den geistlichen,
auch den kleinsten garantirte volle Souveränität und
Selbstständigkeit in äußeren Verhältnissen, das Recht
selbst mit den Reichsfeinden gegen das Reichsoberhaupt
Bündnisse zu schließen, brachte nicht nur über Deutschland und seine einzelne Stücke unsägliches Elend, es
war eine Vergiftung des Charakters der Fürsten. Dieses

vatermörberische Recht, dieser Hohn auf deutsche Treue,
gab die Fürsten vaterlandsverrätherischen Intriguen
preis, raubte den Halt ihres Charakters und verur-
sachte auch bei den besseren gleichsam eine lokale Reiz-
barkeit, wovon wir auch Franz Ludwig nicht frei fanden, und bei Manchen Gespreiztheit.

Kaum einige Jahrzehnte nach 1648 schloßen die
bedeutendsten geistlichen Fürsten am Rhein und in West-
phalen mit dem Erzfeinde des Reichs, mit Ludwig XIV.,
gleichsam zur Probe ihrer vollen Souveränität, ein
Bündniß gegen den deutschen Kaiser.

Die Besorgung der auswärtigen Verhältnisse nach
dem selbsteignen Ermessen des Fürsten geschah durch
den alternden Referendar Wagner, der aber seit 1790
durch den geistreicheren 25jährigen Professor Seuffert [1]) zurückgedrängt wurde. Dieser junge Mann

---

1) Sicherem Vernehmen nach befinden sich in den Händen
der Familie Seuffert noch wichtige Papiere von Franz Ludwig.
Ihre Bedeutung erhellt aus Artikel VIII. und IX. von seinem
Testament. „Alle weder zu den bambergischen, noch würzburgischen Landesstellen gehörigen Papiere, (sie mögen verschlossen oder
unverschlossen, auf dem Umschlage derselben geschrieben seyn, daß
sie vor 2 Zeugen verbrennt werden sollen oder nicht) sollen unserem fürstlichen P. Beichtvater Bonaventura Rüger zugestellt werden. Derselbe, nämlich unser P. Beichtvater, soll alsdann alle
diejenigen Papiere, die unser Gewissen betreffen, absondern und
für sich behalten; alle andern aber, ohne Ausnahme, unserem
würzburgischen Hofrathe und geheimen Referendarius Seuffert zustellen, weil derselbe von den meisten Wissenschaft hat und wir
Bedenken tragen, durch Verbreitung des Inhalts derselben unter
Mehrere dem guten Leumuthe mancher Menschen zu nahe zu
treten."

So sehr die Gewissenhaftigkeit zu ehren ist, womit diese

hatte in seiner Disputation den Satz verfochten, daß
man widerrechtlichen Fürsten nicht zu gehorchen habe.
Der Fürstbischof ließ ihn zu sich bescheiden, besprach
sich mit ihm und schenkte ihm sein Vertrauen in wichtigen Geschäften. Er hat auch freimüthige Schriften
„über den deutschen Adel in den Erz- und Hochstiftern
Deutschlands" und über die Jagdfrohnen geschrieben.
Diese nahm sich der Fürst sehr zu Herzen und befahl
seiner Rentkammer wegen der Richtigkeit und Nützlich-
keit derselben, dem Verfasser vier Dukaten für den
Bogen zu bezahlen. Damit charakterisirt er seine Auffassung der Selbstregierung. Seuffert brachte viele
stockende Angelegenheiten in Fluß und zur Entscheidung.
Die wichtigsten, am meisten Fleiß und Kenntnisse er-
fordernden Stellen, selbst für Auswärtiges, waren damals in den geistlichen Fürstenthümern oft mit Bürgerlichen besetzt, da der Adel zu viel Geistesarbeit
scheute. Da solche Fürsten oft mehrere Lande hatten
und mit den Residenzen wechselten, diese „geheimen
Referendarien" überall bei sich hatten, mußten diese
dem Familienleben bis in höhere Jahre — wie Wagner — entsagen, und auch verheirathet großentheils
von ihren Familien getrennt leben. Das Letztere war

Familie das Vermächtniß des Zutrauens Franz Ludwigs bisher
bewahrte, so wäre doch im Interesse der vaterländischen Geschichte
zu wünschen und zu hoffen, daß diese Urkunden in ihrem ganzen
Umfange einem zuverläßigen Geschichtsforscher geöffnet würden.
Die Manen des edlen Fürsten sprechen selbst dafür. Oder sollte
der Mann, welcher sein Leben verzehrte, um seine Mitmenschen
zu fördern, ihnen nicht auch noch im Tode zur Förderung seyn
wollen? Daß die Familie diesen Schatz nur einem ihr nahe Bekannten anvertrauen kann, sieht jeder Billige ein.

meist das Loos des vertrauten Sekretärs der beiden
Erzherzoge und Erzbischöfe von Cöln, Wrede.

Seit auch Oestreich im westphälischen Frieden, um
seine Interessen zu retten, selbst die Hand zur Einziehung mehrerer geistlichen Fürstenthümer geboten hatte,
ließ sich der Appetit nicht verkennen, welchen die weltlichen Fürsten nach den noch bestehenden schönen geistlichen Landen verspürten. Die bisherigen Fürstbischöfe von
Würzburg, besonders der 1698 gestorbne Johann Gott-
fried II. hatten die Ueberzeugung, daß die geistlichen Fürsten und der Reichsadel nur durch die kaiserliche Macht
könnten erhalten werden, daß daher der Kaiser von ihnen
nach Kräften unterstützt werden müsse, zur Grundlage
ihrer äußeren Politik gemacht. Allerdings brachte dieselbe im siebenjährigen Kriege schwere preußische Brand-
schatzung über Würzburg. Im Ganzen war es aber doch
die richtige Politik, da der Kaiser, als Wahlfürst, ein Interesse hatte, diese geistlichen katholischen Wahlfürsten
als Gegengewicht gegen die weltlichen erblichen Fürsten zu erhalten, bis das größere Interesse der Selbsterhaltung ihm gerade wie 1648, am Anfang unseres
Jahrhunderts, bewog, sie an seiner Statt zum Opfer
zu bringen. — So sehr Franz Ludwig den Kaiser Joseph
sonst verehrte, so übel nahm er ihm seinen habsburgi-
schen Länderdurst, besonders als er sich anließ, denselben an dem Gebiet des Bischofs von Passau zu stillen.

Als Joseph auf einer Reise den Weg über Würzburg einschlug, verfügte sich der Fürstbischof nach Bamberg, um den Kaiser nicht persönlich empfangen zu
müssen. Da der kaiserliche Gesandte seine Empfindlich-
keit darüber äußerte, antwortete er: „die Reichsfürsten

können, erschreckt durch die Behandlung des Fürstbischofs von Passau, wohl nicht geneigt seyn, dem Kaiser ihre Huldigung darzubringen, da man ihnen wenig
oder keinen Werth beilegt." — Darnach ist auch Folgendes zu beurtheilen. Dasselbe entnehmen wir aus
Wagner, welcher lange Jahre, namentlich auch persönlich in Wien, die äußeren Angelegenheiten Würzburgs
besorgte:

„Die Integrität der Bisthümer in Deutschland
lag Franz Ludwig vorzüglich am Herzen. Als Kaiser Joseph (die Vortheile unterschätzend, welche seinem
Hause das Vertrauen der geistlichen Fürsten langsam,
umständlich, aber ziemlich sicher bot) verschiedene Ein-
griffe in den landesherrlichen Bestand des Bisthums
Passau machte, schrieb er an ihn, eine Armee könne
er zwar nicht marschieren lassen, wenn aber von den
Gewaltschritten nicht abgestanden werde, würde er darüber schreien, daß man es an den vier Enden der Welt
hören sollte. Diese Erklärung hatte auch ihre gute
Wirkung" meint Wagner.

Mit dem Regierungs-Antritt des großen Friedrich
und dem merkwürdiger Weise gleichzeitigen Erlöschen
des Habsburger Mannsstammes, hörte Preußen vorerst auf, sich zu Oestreichs Trabanten herzugeben. Bislang war der Königstitel mehr eine Eitelkeit gewesen,
die Anerkennung desselben durch Oestreich durch Tra-
bantendienst theuer erkauft. Nun aber befolgte Friedrich denselben Macchiavellismus, wie Oestreich, ob er
gleich dagegen schrieb; seine Stellung nöthigte ihn sogar, seinen Eigennutz unmaskirter zu verfolgen. Daher stellte Maria Theresia sogleich dem damaligen

Fürstbischof von Würzburg-Bamberg Preußen als die Macht dar, welche das Reich zertrümmern und die geistlichen Fürstenthümer verzehren wolle. Es lag etwas Wahres, denn es lag eine Nothwendigkeit in diesem Gedanken. Indeß hielten sich unsere geistlichen Fürstenthümer im östreichischen Erbfolgekrieg neutral, zum Theil, weil die Kaiserkrone von Oestreich auf Baiern übergegangen war. Im siebenjährigen Kriege aber nahmen sie, wie gesagt, zu ihrem großen Schaden, Partei gegen Preußen. Als 1762 preußische Truppen feindlich ins Würzburgische einfielen, schickte absichtlich Oestreich keine Hülfe, damit der Fürstbischof in der Noth einen Separatfrieden mit Preußen schlöße, und dann keine Entschädigung für seine Kriegskosten von Oestreich ansprechen könnte; was denn auch geschah.

„Die Absichten, welche Kaiser Joseph mit Deutschland hatte, schreibt Wagner weiter, veranlaßten den König von Preußen, Friedrich den Großen, einen Fürstenbund zu errichten gegen alßfaltige Unternehmungen des Kaisers gegen den Bestand des deutschen Reichs (natürlich eigentlich nur gegen Oestreichs Vergrößerung; sonst hatte Preußen an der deutschen Regierungsverfassung kein Interesse), sei es nun, daß dieser Bund ein bloßes Schreckbild für den Kaiser seyn sollte oder eine Theilung Deutschlands in ein preußisches und östreichisches beabsichtigte. Unser Fürstbischof wurde auch von Preußen eingeladen, für Würzburg und Bamberg beizutreten. Da aber die Bundesartikel, so wie sie ihm mitgetheilt wurden, nichts Anderes enthielten, als wozu ein jeder Reichsstand ohnehin verpflichtet war, so erklärte er, daß er einen solchen Bund, wenn keine

andere Absicht, als die Erhaltungen der Integrität der
Reichs — — damit verbunden wäre, für überflüssig
ansehen müsse. Er kenne genau seine Rechte sowohl,
als seine Verbindlichkeiten, die er als Reichsstand gegen
Kaiser und Reich habe, und man könne sich darauf
verlassen, daß er in allen Fällen bereit sei, jene zu
behaupten und diese zu erfüllen. Trotz alles Andrin-
gens ließ er sich nicht weiter ein [1]) und erhielt dafür
sowohl von Berlin als Wien die schmeichelhaftesten
Aeußerungen."

Seit dem Ausbruch der Revolution in den
östreichischen Niederlanden (1789) wurden ihm
von unbekannter Hand alle darüber von niederländi-
scher Seite erscheinenden Flugschriften zugeschickt. Es
war wohl dort bekannt, daß er verschiedne rasche Schritte
Josephs nicht billigte. Nach dessen Tode (1790) verlangte sein Nachfolger, König Leopold, noch vor der
Kaiserwahl, Hülfstruppen von Würzburg und Bamberg, und schickte einen Gesandten, den Grafen von
Metternich mit einem ganz eigenhändigen Schreiben.
Der Fürstbischof verwilligte die Truppen, jedoch nur
unter der Bedingung, daß den Niederländern alle ihre
alten Privilegien wieder eingeräumt und die joyeuse
entrée gehalten werde; nur zur Wiederherstellung der
Ruhe, nicht zur Eroberung und Unterdrückung der alten Landesrechte wollte er helfen. Geldvortheile hatte
er keine dabei, im Gegentheil wurden durch die hohen
Anwerbungs- und Ausrüstungskosten seine bisher so

---

1) Wir müssen dabei erwähnen, daß sein Bruder in Mainz
bei diesem Plane ein eifriger Anhänger der preußischen Plane war.

guten Finanzen sehr angegriffen. Die Truppen erhielten östreichischen Sold, das war Alles. Auch die reichen Geschenke, welche vom östreichischen Gesandten den dabei thätigen höheren Beamten zugesagt worden waren, liefen darauf hinaus, daß Einer einen Brillantring erhielt, bemerkt Wagner mit Schmerzen. Als Oestreich mit Gewalt und schönen Versprechungen den Aufstand bewältigt hatte, richtete es sich in den Niederlanden nach seinen Gelüsten rücksichtslos ein und führte es so fort, bis nach einigen Jahren die französische Revolution Oestreich aus diesem Lande hinauswarf, welches Prinz Eugen für den Edelstein, für den edelsten Edelstein aller seiner Kronen erklärt hatte. Obgleich sein Bruder in Mainz ihm das Beispiel dazu gab, lehnte Franz Ludwig es aus Menschlichkeit ab, gegen schöne Summen Truppen in englischen Dienst zu verkaufen. Geistliche Herren trieben sonst mit dem Blut ihrer Landeskinder eben sowohl Handel ans Ausland, als die weltlichen Landesväter.

„Zu gleicher Zeit, schreibt Wagner, suchte Preußen (die schönen stammverwandten Fürstenthümer) Ansbach und Bayreuth mit seinen Kronlanden unmittelbar zu vereinigen. Der Fürstbischof schickte mich nach Wien, um es zu hintertreiben; allein das Reichsministerium wußte nichts darum [1]), und das östreichische erklärte, es sei nichts mehr dagegen zu machen, in-

1) Wagner schreibt: H. v. Spielmann war eigentlich das Haupt der Geschäfte in der östreichischen Staatskanzlei. Diese hat gewöhnlich keine Kommunikation mit der Reichskanzlei gepflogen. Letztere hat daher in der Sache gar nicht hell gesehen, noch sehen können.

einem geheimen Artikel des Reichenbacher Friedens [1]) habe Oestreich versprochen, dieser Vereinigung keine Hindernisse in den Weg zu legen; der fränkische Kreis solle sehen, wie er mit möglichst geringstem Schaden sich dabei benehme." — Der würzburgische Gesandte konnte sich nicht genug wundern, daß man sich um diese wichtige Angelegenheit, die doch Preußen an die Spitze des fränkischen Kreises bringen mußte, in Wien so wenig kümmerte. Es wurde ihm nur einigermaßen dadurch erklärbar, daß man in diesem Ministerium auf die Kaiserwürde und auf das deutsche Reich keinen Werth legte.

Dieß war aber, wie gesagt, auch bei Friedrich nicht minder der Fall, auch bei seinem Fürstenbunde für deutsche Freiheit, d. h. zur augenblicklichen Garantie

---

1) Zu Reichenbach in Preußisch = Schlesien wurde 27. Juli 1790 ein Vertrag zwischen Preußen, England, Oestreich, Holland und Polen geschlossen, wodurch der Fortbestand des türkischen Reichs gesichert wurde. Es war schon im Teschner Frieden 1779 von Oestreich versprochen worden, gegen die gerechten Ansprüche Preußens, wenn ihm Ansbach und Bayreuth zufallen würden, keine Schwierigkeit zu machen. Dieser Teschner Friede war das Ende des bairischen Erbfolge = Kriegs, den Preußen gegen Oestreich führte, um die Zerreißung Baierns durch Oestreich zu verhindern. Während Franz Ludwigs Regierung 1785, ließ sich dennoch der Kurfürst von Baiern von Kaiser Joseph überreden, ihm Baiern für die östreichischen Niederlande tauschweise zu überlassen. Aber Baiern wurde nochmals durch Preußen in seinem Bestande erhalten. Diese bairischen Händel gaben erstmals Rußland Gelegenheit, als Schiedsrichter in den innern Angelegenheiten Deutschlands aufzutreten, nachdem es schon früher Garant der württembergischen ständischen Verfassung geworden war.

der deutschen Kleinstaaterei, und somit der National-
schwäche.

Es hatte sich schon während der Regierung des
großen Friedrich schwer gerächt, daß er so unnationa-
len Sinnes war, daß er aus selbstverschuldeter Un-
kenntniß des Geists, der geistigen Leistungen der Deutschen, das Volk verachtete, dem er angehörte und dessen beste Männer ihn zu ihrem Helden gemacht hatten.
Wie die klassischen Werke unserer Literatur, welche
eben damals ihren Frühling feierte, kannte er auch die
deutsche Reichsverfassung nicht, und kümmerte sich um
nichts weniger als um sie. So konnte er kein politischer Reformator Deutschlands werden, so mußte er in
Rußlands Schlingen fallen, da nur ein äußerer Stütz-
punkt Preußen es ermöglicht, als Großmacht zu gelten. Er schon kannte nur das Eine Gute an der
deutschen Gesammtverfassung, daß man damit alle An-
träge auch zum Besseren, namentlich wenn sie Oestreich,
natürlich in seinem eignen Interesse stellte, hintertreiben
könne. Der sonst so große Friedrich hatte durch Hinter-
treibung der weitzielenden Absichten des jungen Kaisers
Joseph auf die so nöthige Reform der Reichs-Justiz
und auf die reichsoberrichterliche Gewalt, wobei diesem
unser Franz Ludwig besonders an die Hand gegangen
war, mitgewirkt, dem Kaiser alle Lust und Liebe zum deutschen Reich zu verleiden. Friedrich hat Josephen damit
in seiner, in unsern Tagen kräftig wieder aufgefaßten,
Idee der straffen Einheit eines abgesonderten östreichischen Reichs bestärkt und auch ihn in die Bande
Rußlands getrieben. So geschah es, daß die beiden
auch geistig größten Fürsten Deutschlands mit einander

wetteiferten, welcher dem Andern in der Gunst Rußlands durch Dienstbarkeit und durch die schwersten Opfer den Wind abgewann. Der nur in Rußlands Interesse unternommene Türkenkrieg schwächte Josephs Autorität und lähmte seine Kräfte so sehr, daß er denn auch im Innern seines Landes mit seinen übereilten Reformen unterlag.

So begnügte sich denn Preußen mit den kleineren, aber gefahrloseren Vortheilen der Einziehung seines Familien-Erbes in Franken.

Das Haus Hohenzollern war bekanntlich aus dem Herzen Schwabens auf die Burggrafschaft Nürnberg verpflanzt worden. Davon blieben zweien Zweigen der Familie, als hundert Jahre vor der Reformation ein Hohenzoller mit der Mark Brandenburg belehnt wurde, die beiden Markgrafschaften Bayreuth und Ansbach (oder Onolzbach) in Franken. Diese waren seit 1769 durch Markgrafen Alexander vereinigt worden. In kinderloser Ehe und mit Maitressen lebend, ließ sich derselbe durch seine Trägheit und die Engländerin v. Craven bewegen, den Anfall der schönen Markgrafschaften durch freiwillige Verzichtung an den preußischen Zweig seines Hauses zu beschleunigen (1791). Zuvor schon hatte Staatsminister v. Hardenberg die Verwaltung von Ansbach-Bayreuth übernommen.

Dieses Alles geschah nach Recht und in aller Form. Allein jetzt fing alsbald Preußen an, diesen Besitzungen von 160 Quadratmeilen, mit 385,000 gewerbfleißigen Bewohnern, die ihnen mangelnde Territorial- und Verwaltungs-Einheit zu geben. Dazwischen lagen fremdherrliche Landstückchen eingesprengt. Schon unter den

Bernhard, Franz Ludwig.   14

früheren markgräflichen Regierungen hatte dieses Verhältniß den Gegenstand mancher widrigen Streitigkeiten gebildet, immer aber war bisher den anderweitigen
Besißern solcher eingeschloßnen Landstücke, bald durch
Verträge, bald durch reichsgerichtliche Erkenntnisse, die
Reichsunmittelbarkeit von neuem zugesichert worden. So
gab es denn in den beiden Fürstenthümern einzelne
Ortschaften, wo dem Markgrafen, obgleich ihm darin
sogar das gutsherrliche Recht zustand, die Landeshoheit
nichts desto weniger von fremden, zuweilen von drei
oder vier geistlichen und weltlichen Reichsständen streitig gemacht wurde. Die Verordnungen keines Lan-
desherrn kamen an solchen Orten in Ausführung, sie
waren Schlupfwinkel für Flüchtige vor der strafenden
Gerechtigkeit. Sie nahmen aber auch die markgräflichen Behörden durch endlose Schriftenwechsel, Rechts-
und andere Händel so sehr in Anspruch, daß eigentlich
das ganze Land darunter litt. Obgleich Franz Ludwig
schon vor dem Anfall der beiden Lande an Preußen
die drohenden Verluste voraussah, wurde es doch erst
1794 Ernst mit Mediatisirung solcher Enclaven, seit
Preußen von Oestreichs Bündniß und vom Kriege gegen
Frankreich sich abzog, und Professor Kretschmann, von
dem durch seine Denkwürdigkeiten bekannten (nachmaligen Ritter) Lang unterstützt, Rechtstitel herbeischaffte,
so weit es zu einem Schein des Rechts nöthig war.
Mehr als Würzburg war Bamberg in Mitleidenschaft
gezogen. Es berechnete seinen Verlust an unmittelbaren
Unterthanen auf 664 Familien mit 8500 Morgen
Aeckern; die verlornen Revenüen des Hochstifts wurden
in Kapital zu einer halben Million Gulden angeschlagen.

Obgleich Oestreich, durch den einseitigen Frieden Preußens mit Frankreich zu Basel (1795) erbittert, alle Geneigtheit hatte durch die Reichsgerichte Preußen das Handwerk zu legen, so fehlte doch die Vollstreckungsmacht dazu. Preußen aber, so große Ansprüche es machte, war von zahmer Kühnheit und begnügte sich am Ende mit verhältnißmäßig kleinem Gewinn [1]. Aber auch diese Verwicklungen verdüsterten den Lebensabend Franz Ludwigs.

20) Der französische Revolutionskrieg.

Wir haben schon gesehen, daß Franz Ludwig entschieden davon abmahnte, daß die deutschen Mächte sich angreifend in die inneren Angelegenheiten Frankreichs und seiner Revolution mischten. Er sprach entschieden den Grundsatz aus, eine große Nation habe das Recht, ihre inneren Angelegenheiten nach eignem Ermessen zu ordnen. Er hielt eine fremde, leichtsinnige Einmischung weder für recht, noch für klug. Diejenigen, gegen welche der Aufstand gerichtet sei, hätten offenbar gar zu viel Unrecht verübt. Er werde nie zu einem Reichskrieg gegen Frankreich stimmen, weil seiner Ueberzeugung nach eine ganze Nation, die sich erhoben habe, von Niemanden, am wenigsten von einem Reichsheere könne gezwungen werden; vielmehr glaube er, daß ein Reichskrieg unfehlbar die Auflösung des Reichs, die Unterjochung der kleineren, besonders der geistlichen

---

1) Auszüge aus dem Schriftenwechsel zwischen Preußen und Franz Ludwigs Nachfolger in Würzburg siehe in K. A. Menzels neuerer Geschichte der Deutschen, in des 12ten Bandes zweiter Abtheilung, Seite 228 et seq.

14 *

Fürsten herbeiführen werde. Noch sicherer und schmach-
voller aber würde der Untergang Deutschlands bei Uneinigkeit der deutschen Fürsten seyn. Er rieth dringend,
daß alle deutschen Länder durch Einheit starke Neutralität beobachteten; die siegestrunkene Kriegslust Oestreichs und Preußens suchte er zu dämpfen, die Miß-
stände des fränkischen Kreises von sonderbündlicher
Neutralität abzutreiben. Aber es blieb ihm nur die
Klage, in Regensburg (am Reichstag) habe er gegen
das hitzige (Oestreichs und Preußens), in Nürnberg
(beim Kreistage) gegen das kalte Fieber anzukämpfen.

Ob die mündliche Ueberlieferung richtig ist, daß
Franz Ludwigs Bild in Frankreich zur Anerkennung
seiner menschenfreundlichen Regierung und seiner Politik bekränzt wurde, ist uns unbekannt.

Die ersten Jahre der französischen Bewegung waren auch in Deutschland Hungerjahre. Diese Gelegenheit des Hungers benützen, wie der Augenschein
lehrt, bald niedrig gesinnte, kurzsichtige Regierungen
zur Niedertretung ihnen mißliebiger Rechte des nach
Umständen dann muthlosen Volkes und ihnen mißlieби-
ger Persönlichkeiten, bald benützen dieselbe Gelegenheit
der Pöbel und seine Schmeichler zu Angriffen gegen
Regierung und Eigenthum. Tritt ja auch der Esel
den Löwen, wenn er krank und schwach ist.

Von diesem Brandmal hielten sich Franz Ludwig
und seine Unterthanen durchaus rein. Wohl gab es,
zumal unter den Gebildeten der Städte, unter dem
Handwerkerstand auch in Würzburg und Bamberg, Männer, welche die National-Versammlung in Paris als
ein den Völkern der alten Welt gute Zeit verkündendes

Morgenroth begrüßten. Ja, wie im ganzen südwest-
lichen Deutschland waren Tausende in Stadt und Land,
welche — bis zu der wüsten Blutwirthschaft von 1793 —
die Franzosen je früher je lieber hätten einrücken gesehen. Viele wurden erst, aber auch um so radikaler,
von ihrem Taumel geheilt, als sie von den Völker-
glückbringern radikal ausgeplündert waren. Allein Franz
Ludwig erprobte sich als ein Mann, er schenkte ver-
größernden Spionen, Verläumbern, nebst der Krätze,
dem unvermeidlichen Troß solcher Zeiten, kein Gehör und
so kam selbst in solchen Zeitläufen dieß Gezüchte auch
nicht auf. Seine Unterthanen-, auch die etwa nach
deutscher Art für fremde Parteien sich begeisternden,
waren, sobald die Neufranken näher rückten, auf sein
Wort zur Vertheidigung der Heimath willig und bereit. Denn sie war ihnen durch Franz Ludwig lieber
geworden und auch die Aermeren hatten etwas zu verlieren. Franz Ludwigs Bruder aber, der Kurfürst von
Mainz, welcher sich durch seinen üppigen Hofhalt die
edleren Männer entfremdet, und nur für die guten
Tage Anhänger erworben hatte, kam nach Verlust seiner Hauptstadt verrathen und flüchtig nach Würzburg.

Während nämlich der sonst aufgeklärte und lie-
benswürdige geistliche Kurfürst von Trier-Coblenz und
der Bruder Franz Ludwigs in Mainz die bewaffnete
Versammlung des gegen sein Vaterland sich rüstenden
emigrirten französischen Adels schützten, behauptete unser Fürst entschiedene Neutralität[1]). Ja nicht einmal

1) Denn nur Preußen und Oestreich nebst ihren Bundesgenossen führten vorerst seit 1792 mit Frankreich Krieg; es war
noch kein Reichskrieg.

einzelnen Fremden wollte er ohne dringende Gründe
längeren Aufenthalt als drei Tage gönnen, was von
der zum voraus siegesberauschten Reaktion sehr übel
vermerkt wurde. Selbst Kranke ließ er mit Schonung
weiter bringen. Dabei unterstützte er die Armen und
Hülfsbedürftigen unter ihnen, besonders Bischöfe und
andere Geistliche mit fürstlicher Freigebigkeit.

Daß das ganz entsittlichte adeliche und Bedien-
ten-Gesindel, welches einen nicht kleinen Theil dieser
ersten Emigration bildete, die Sitten der geistlichen
Städte am Rhein vollends vergiftet hatte, hat auf
diesen unerschütterlichen Entschluß gewiß viel Einfluß
gehabt. Sprenke schreibt:

„Nicht vergebens ließ der behutsame und erfah-
rene Fürst seine Gränzen damals gegen die ausgewan-
derten Franzosen sperren. Er wollte schlechterdings
seinen beiden Fürstenthümern den Besuch oder Durch-
zug gefährlicher, in ihren Folgen dem Vaterlande ver-
derblicher Gäste ersparen. Die Folge rechtfertigte die
getroffene Maßregel. Kaum war Franz Ludwig todt,
so wimmelte Franken von Schwärmen ausgewander-
ter Franzosen, unter welchen Spione, Betrüger, Wüst-
linge aller Art und unter allerlei Masken sich einfan-
den, und den bald nachziehenden feindlichen Kriegsheeren
das Vaterland verriethen. Franz Ludwig sah weiter,
als Andere nach ihm, und wäre er am Leben geblieben, so hätte wahrscheinlich der, im Jahr 1795 zwischen Preußen und Frankreich zu Basel geschlossene
Friede eine günstigere Wendung genommen und der
fränkische Kreis wäre 1796 des verheerenden Feldzugs
überhoben worden."

Bekanntlich hatten sich im Herbst 1792, gleichzeitig mit der unglücklichen Wendung, welche der preußische Einfall am Unterrhein nahm, die Franzosen plötzlich auf den deutschen Mittelrhein, auf die Pfalz geworfen. Meiners beschreibt uns den dadurch verursachten Schrecken, den reellen „Franzosenlärm" als Augenzeuge desselben im Würzburgischen und weiterhin: „Das panische Schrecken, welches Cüstine durch die Eroberung von Speier erregte, kann man sich schwerlich vorstellen, wenn man nicht in der Nähe Zeuge davon war. Alle Vornehme, und auch viele reiche oder angesehene Personen von bürgerlichem Stande entflohen, und retteten ihre besten Sachen nicht blos aus Speier, Worms und Mainz, sondern aus Frankfurt, Hanau, Wertheim, ja sogar aus dem Hohenlohischen. Wir machten gerade an dem Tage, als die ersten Fliehenden nach Würzburg eilten, eine Spazierfahrt nach dem Kloster Trieffenstein, das an der Straße nach Aschaffenburg liegt. Wir waren noch keine Meile von Würzburg entfernt, als uns bald nach einander viele Wägen begegneten, in welchen fast ganz allein Frauen, Mädchen und Kinder saßen. Je weiter wir fuhren, desto mehr Reisende trafen wir an, und aus den Fenstern und dem Garten des Klosters Trieffenstein sahen wir bisweilen sechs bis sieben Kutschen nahe hinter einander herfahren. Wir alle schlossen hieraus, daß etwas Ungewöhnliches am Rhein geschehen seyn müsse, und Abends hörten wir, daß Speier erobert, und der Bischof von Speier in Würzburg angekommen sei. In den beiden folgenden Tagen war die Mainbrücke fast nie leer von Reisewägen, oder von Frachtwägen, welche Archive oder

Kostbarkeiten geladen hatten. Alle Gasthöfe, auch die
schlechtesten wurden bald mit Fremden angefüllt, und
es blieben wenige vornehme Häuser übrig, in welchen
nicht eine oder die andere fliehende Familie eine Zu-
flucht gesucht hätte. Die Concurrenz der Reisenden
war auf den letzten Stationen vor Würzburg so groß,
und ihre ängstliche Eilfertigkeit so dringend geworden,
daß sie 40, 60, 90 Gulden für die Pferde einer Station gegeben hatten. Dieselbige Angst, welche die Fliehenden von Station zu Station trieb, hatte auch mehrere bewogen, für die Ueberfahrt über den Main bei
Lengfeld, wofür man sonst 20 Kreuzer zahlt, eine Ka-
rolin zu bieten. Als die Franzosen Speier und Worms
verlassen hatten, so kehrten mehrere Familien nach
Mainz zurück. Die meisten von diesen hatten aber
kaum Aschaffenburg, oder Hanau und Frankfurt erreicht,
als ihnen schon wieder ganze Züge von Flüchtlingen
entgegen kamen, die den gegen Mainz anrückenden Franzosen entrinnen wollten. Das Schrecken der Mainzer
theilte sich den Einwohnern von Frankfurt, Hanau,
Wetzlar und andern Städten mit. Man entwischte
nach allen möglichen Richtungen, und zahlte für die
Pferde was man verlangte. Einer meiner Bekannten
war Zeuge davon, daß zwei französische Damen für
zwei Pferde von Frankfurt nach Friedberg acht Caro-
lin geben mußten. Man wußte in Würzburg mehrere
Tage nicht, wo der Kurfürst von Mainz geblieben
wäre, und er kam wenigstens drei Tage später an,
als man ihn erwartet hatte.

Nach Bamberg hin hatten sich wenige Flüchtlinge
gerettet. Würzburg blieb die erste Freistätte, wo man

vor den Verfolgungen der Franzosen sicher zu seyn
glaubte."

Etwas naiv allerdings lautet, was Meiners um
diese Zeit aus dem Würzburgischen über die Folgen
der strengen Neutralität unsres Fürstbischofs schreibt:

„Nachdem vor den Franzosen die antifranzösischen
Fürsten, Herrn und Edelleute in aller Eile und mit
großen Unkosten entfliehen mußten, da fand man, daß
der Fürst von Würzburg (indem er sich neutral hielt),
recht gehandelt hatte. Da in den meisten umliegenden
Gegenden Alle, die etwas zu verlieren haben, mit
Schrecken erfüllt sind, so lebt man in den Bis-
thümern Würzburg und Bamberg so ruhig,
als wenn noch kein fremder Feind einen
Fuß auf den deutschen Boden gesetzt hätte
oder setzen könnte; und Jeder, der sich des glück-
lichen Friedens freut, erkennt es, daß er diesen Segen
der Klugheit und Standhaftigkeit des Fürsten zu danken habe."

Ja, wenn die Leute einmal recht klug werden,
da sind sie erst lächerlich kurzsichtig! Dieselbe Hofraths-
weisheit brachte über Preußen 1806 den schmählichsten
Bankerott. Es genügt uns allerdings zu einiger Be-
friedigung, daß unsere Väter auch nicht klüger waren
als wir. Nichts geht über die Blindheit, womit unsere
Großväter die Gefahren und die Auflösung des inner-
lich zusammenbrechenden deutschen Reiches nicht vor-
aussahen, nichts, als vielleicht die Scharffichtigkeit unseres Geschlechts.

Franz Ludwig hatte indeß eine bessere Kenntniß
der Menschen und der Franzosen, als daß er sich auf

Ihre Friedensbetheurungen und auf seine Neutralität
verlassen hätte. Auch war er sich sowohl seiner Pflichten eines Reichs- als eines Landesfürsten bewußt. Unter
der Leitung eines erfahrnen Ingenieurs, des Generals
v. Dachsdorf, wurde Stadt und Festung Würzburg in
ordentlichen Befestigungsstand gesetzt. Die Erdwälle
wurden hergestellt, mit Kanonen besetzt und besonders
gegen eine Ersteigung durch Leitern Vorkehrungen getroffen; durch bambergische und Deutschordens-Trup-
pen wurden die würzburgischen verstärkt; die Bürgerschaft griff mannhaft zur Wehr und Waffen. Die
Franzosen fanden es nicht gerathen über Aschaffenburg
vorzudringen.

Die gegen Mainz vorrückenden Preußen und die
Erstürmung Frankfurts durch die blinde Tapferkeit der
Hessen [1]) 2. December wandte vorerst alle Gefahr ab.

Franz Ludwig, welcher erklärt hatte, nur in äußer-
ster Gefahr die Stadt verlassen zu wollen, konnte nun, den
dringenden Geschäften nach Bamberg folgend, 26. December 1792 „die angenehme Regentenpflicht erfüllen,
indem er das den übereinstimmenden guten Handlungen des ganzen Publikums gebührende Lob mit wah-
rem Dankgefühl öffentlich bekannte." — „Höchstdieselben
können sich aber, heißt es, das Vergnügen nicht versagen,
noch vor Ihrer Abreise dem ganzen hiesigen Publikum,

---

1) Zuvor schon, 26. Oktober, hatte eine handvoll Hessen
wenige Stunden von Frankfurt mit spartanisch-hessischer Tapferkeit sich den 14mal stärkeren Franzosen entgegengestemmt, während ihr Landesvater, der bekannte Held des Zopfs und der Prü-
gel, Tag und Nacht in Kassel und weiterhin die Pferde zur Flucht
bereit hielt.

folglich allen Ständen und Klassen hiesiger Einwohner, wie auch der ganzen Garnison, mithin auch ihren Landsoldaten (Miliz), sonderheitlich aber Ihrer getreuen Bürgerschaft über das der ganzen Stadt zur unsterblichen Ehre gereichende Betragen in den seitherigen kritischen Umständen Ihre vollkommene Zufriedenheit laut zu bezeigen."

Der Reichskrieg wurde nun erklärt, daher rückten die würzburg - bambergischen Truppen über den Rhein, kämpften in den Niederlanden, und bildeten einen Theil der durch ihre ruhmvolle Vertheidigung berühmten Besatzung von Luremburg. Da Ergänzungen nöthig und neue Corps zu errichten waren, wurde 1793 erstmals „das außerordentliche Mittel" ergriffen und gleichsam eine Umlage von Rekruten auf die Gemeinden gelegt, deren Ausführung diesen überlassen blieb. Der Fürst suchte das militärische Ehrgefühl und die Vaterlandsliebe des Volks nicht umsonst anzufachen. Er erinnerte an das Lob, das seine im Felde stehenden Truppen von den Feldherrn erhalten hatten, daß es gelte zum Schutze der höchsten Güter des Menschen sich zu erheben. Ja ein Aufgebot der ganzen männlichen Volksmasse vom 16. bis 60. Jahre war im Plane. Allein nicht einmal der Weg der Conscription wurde beibehalten; schon im Oktober 1794 wurde wieder eine freiwillige Werbung mit verdoppeltem Handgeld angeordnet, und zwar nach dem alten Militär-Schlendrian. Ein einheimischer Infanterie - Rekrut von 5 Schuh, 2 — 3 Zoll erhielt 36 fl., einer von 5 Schuh 3 — 4 Zoll 40 fl., einer von 5 Schuh 4 — 5 Zoll 44 fl., einer von 5 Schuh und über 5 Zoll 48 fl. Ein Dragoner - Rekrut, der nicht unter 5 Schuh

4 Zoll meſſen durfte, erhielt 30 fl. Für Ausländer
war das Handgeld um die Hälfte geringer: was gewiß weiſer war als die preußiſche Marime, recht viele
Ausländer einzureihen.

Schon von ſeiner letzten Krankheit ergriffen, ſchrieb
Franz Ludwig 6. Dec. 1794: „So ſchwer es Unſerm
landesväterlichen Herzen ankommt, Unſere getreuen Unterthanen abermal auffordern zu müſſen, daß ſie uns
in den Stand ſetzen möchten, Unſere reichsſtändiſchen
Pflichten zu erfüllen, ſo hat doch die Vorſicht Unſere
Regierungsjahre in eine ſolche Periode geſetzt, in welcher eine höhere Pflicht gegen das bedrängte, und um
ſeine Selbſterhaltung und Verfaſſung kämpfende deutſche
Reich Uns auf keine Weiſe zu beſeitigende Opfer ab-
zwingt, wenn ſie uns auch noch ſo theuer ſind."

Das würzburgiſche Militär hatte ſeinen feſten
Corpsgeiſt. Als Würzburg 1802 an Baiern fiel, blieben
einige Bataillone deſſelben beiſammen: Im Jahre 1806
aber, als Würzburg zur Abfindung des öſtreichiſchen
Erzherzogs Ferdinand zu einem Großherzogthum erhoben wurde, und jene gegen die bairiſche Oberpfalz
hin liegenden Würzburger-Corps nicht ſofort aus den
Pflichten Baierns in die des neuen Fürſten von Würzburg übergeben wurden, marſchirten ſie die paar Tage-
märſche mit klingendem Spiele bis vor ihr Würzburg,
eine Selbſthülfe, welche vor wenigen Jahren bei An-
ſprüchen auf die Veteranen-Ehrenmedaille wieder prak-
tiſch zur Sprache kam.

Die Gränzſteine der Züge, welche binnen der
nächſten paar Jahrzehnde die Würzburger Bataillone
machten, deuten die Namen einiger Luſtorte im ſchönen

Mainthal an: Talavera, Smolensk, Moskau! Die mehr-
jährigen Mißjahre hatten nebst der Ausrüstung der
Truppen nach den Niederlanden die so schön geordneten Finanzen und Ersparnisse erschöpft. Solange wie
möglich erwehrte sich Franz Ludwig neuer Steuern.
Sein Bruder, der Hofmarschall, gab jetzt sein Silber-
geräth, welches 100,000 Gulden werth war, in die
Münze, der Fürstbischof entäußerte sich des Entbehrlichen. Als aber das Unvermeidliche geschehen mußte,
legte er 1793 die Abgabe des zehnten Pfennigs namentlich auf die geistlichen Güter und Stiftungen, da
diese bei dem Kriege gegen die Revolution vor andern
mit dem ganzen Interesse der Selbsterhaltung betheili-
ligt seien.

So war denn der Lebensabend Franz Ludwigs
nicht heiter, wie er es so wohl verdient hätte. Die
schweren, zerstörenden Gewitter, welche auf Europa
lasteten, vermochte der väterliche, priesterliche Fürst von
seinen Landen und Leuten nicht abzuwenden. Aber es
lastete doch auf dem zarten Gewissen nicht der Vorwurf, durch blinde Unterwerfung unter die rachesüch-
tige, prahlende Reaktionspartei das Unglück ins Vaterland gelockt zu haben.

Schwereres zu schauen und zu dulden ersparte
ihm die Hand des Todes.

21) Franz Ludwigs letzte Krankheit und Tod.

Von frühen Jahren an litt er außerordentlich an
den Nerven. Die angestrengte Lebensweise und strenge
Enthaltsamkeit mag seine Hypochondrie vermehrt haben. Es gehörte gewiß große Willenskraft dazu, ein

so reizbares Nervensystem meistens zu beherrschen. Er sagte, er habe nie Kopf- oder Magenwehe; er klagte nur über unangenehme, lästige Phantasiebilder und über Nervenbewegungen in der Gegend des Zwerchfells und des Unterleibs. Der Leibarzt seines Vertrauens war ein Liebhaber vieler Arzneien und verschrieb ihm viele Opiate. Er konnte daher öfters Monate lang keine Geschäfte vornehmen. Seine Finger litten am Zittern, er schrieb jedoch Alles selbst, wie wir oben sahen, auf den Visitationen täglich wenigstens die Entwürfe zu seinen Predigten.

Bei seiner Sektion fand sich nur ein Geschwür an der Blase, an welcher er früher wiederholt gelitten hatte.

Seine letzte Krankheit hatte 26. Nov. 1794 schlagähnlich begonnen und war ein gallichtes Schleimfieber geworden. Vom 41sten bis 48sten Tage der Krankheit hatte ihn zwar das Fieber verlassen und scheinbare Besserung sich eingestellt. Als das Fieber aber verstärkt zurückkehrte, sah er dem Tode mit ruhigem Bewußtseyn entgegen, mit aller Gegenwart und Heiterkeit des Geistes beschäftigte er sich mit wichtigen Regierungs- und Privat-Geschäften; nach Empfang der hl. Sakramente verschied er in Würzburg 14. Febr. 1795, Morgens vor 4 Uhr, nach nicht ganz 16jähriger Regierung, 65 Jahre alt.

Die Zeiten der Mediatisirung thaten nichts zu seinem Andenken. Erst 1826 ließ das wieder errichtete Domkapitel den Stein, welcher bisher über seinen Eingeweiden auf dem Marienberge gestanden hatte, über seinem Leichnam im Dome aufrichten. Er, der vorletzte Fürstbischof in Würzburg, ist der letzte, welcher das fürstliche Schwert in der Rechten gesenkt hält. Sein Grab ist an einem Pfeiler des Würzburger Doms, für den durch das Hauptportal Eintretenden rechts; sein Bild ist dem Hochaltar zugekehrt.

Sein bestes Denkmal ist aber im Herzen aller braven Würzburger und Bamberger errichtet, die ihn mit gerechtem Stolz den Ihrigen nennen; Deutschland dürfte, sollte es auch, mehr als es bisher geschehen, freilich nicht nur mit lobenden Worten. Möge auch unsere Arbeit etwas dazu beitragen! Sie ist nicht die erste, sie wird hoffentlich nicht die letzte Geschichte dieses guten Christen und Deutschen seyn. Wenn Viele in Kirche und Staat in seinem Sinne, mit seiner Ausdauer wirkten, unser armes Volk wäre auf dem sicheren Wege zur Versöhnung, zur Vereinigung. Und jeder soll, jeder kann das an seinem Orte. Er war ja keiner von den „großen" Männern, welche wie reinigende Gewitter über die Menschheit dahin rollen; er hat selten eine Wunde geschlagen, viele geheilt. Er war, zum Glück für seine Unterthanen, nicht geistreich, aber — gewissenhaft; nicht kühn, aber unermüdlich fleißig. Er wirkte wie in der Hauptsache ein Jeder, sei er Fürst oder Bürger, lebend und wirken soll und kann, zum gemeinen Besten „in verständiger Richtung auf das Nahe und Nothwendige, was sonst in der Regel in Deutschland zuletzt oder gar nicht berücksichtigt wird." Er hat das unter gegebenen Verhältnissen ihm mögliche Beste beharrlich angestrebt und zum Theil erreicht. Wollen die Fürsten sich die Völker dauernd unterthan machen, wollen die Völker frei werden, so mögen zuerst beide sich selbst auch also ihrer Pflicht, ihrem Gewissen unterwerfen. Zwar zu leben, wie dieser Fürstbischof der lachenden Lande am Main, das möchte mancher kleinere Fürst, ja mancher Bürger nicht für einen Gewinn achten, vielleicht aber doch das — wie er gelebt zu haben!

I. Quellen.

A. Schriftliche.

Wagners Selbstbiographie, im Besitz der historischen Gesellschaft in Würzburg.

B. Gedruckte.

1) von Zeitgenossen und Augenzeugen.

Beschreibung einer Reise durch Deutschland und die Schweiz im Jahre 1781 von Nicolai. Berlin und Stettin 1783, erster Band.

Durchflüge durch Deutschland, die Niederlande und Frankreich, dritter Band, Hamburg 1798 (von J. L. v. Heß. Er war nach dem Urtheile von Solchen, die ihn persönlich näher kannten, ein sehr gescheidter, besonders in höheren Handels= und Finanzsachen sehr erfahrener Mann. Von demselben ist wohl der Aufsatz: Franz Ludwig, Fürstbischof zu B. und W., Muster eines guten Fürsten, welcher zuerst im „Genius der Zeit", dann unter dem Titel: „Fürstenspiegel" im ersten Heft von Häberlins Staatsarchiv, Helmstädt und Leipzig 1796, erschien).

Briefe eines reisenden Franzosen über Deutschland an seinen Bruder zu Paris, übersetzt von K. R. (geschrieben von Risbeck), zweite beträchtlich verbesserte Ausgabe, 1784, im ersten Band.

Kleinere Länder= und Reisebeschreibungen von Meiners. Berlin 1794, im zweiten Band. — Biographische Nachrichten von Fürstbischof Fr. L. v. E., Meersburg 1805.

Franz Ludwig aus dem freiherrlichen Geschlechte von und zu Erthal, eine vaterländische Geschichte von Sprenke. Würzburg 1826. Außer dem Selbsterlebten benützte der Verfasser die über Franz Ludwig von Legationsrath Dr. Scharold verfaßten handschriftlichen Notizen und viele gedruckte Erlasse. — Die Trauerreden von Leibes und Berg, letztere unter dem Titel: Muster eines guten Fürsten, mit Anmerkungen und Selbstapologie 1796.

Geographisches, statistisch=topographisches Lexikon von Franken, sechs Bände, Ulm von 1799 bis 1804.

Eine Sammlung von Flugschriften über, für und gegen die

Bernhard, Franz Ludwig.   **15**

geistlichen Fürstenthümer, von dem Basler Frieden an bis zur Mediatisirung verfaßt.

2) von Neueren.

Die Würzburger Chronik oder Geschichte, Namen, Geschlecht, Leben, Thaten und Absterben der Bischöfe von Würzburg und Herzoge zu Franken, wovon der erste Band, von L. Fries, nach Handschriften verfaßt 1848, der zweite nach Gropp (von dem Sohn eines der tüchtigsten Beamten Franz Ludwigs, Heffner), bearbeitet mit vielen Holzschnitten 1849 in Würzburg erschien.

Franz Ludwig, Fürstbischof von B. u. W., von Professor Söltl in München, in Pölitz-Bülaus neuen Jahrbüchern der Geschichte und Politik, dem ersten Bande 1843. Es scheint, daß dazu Seuffert'sche Papiere benützt wurden. Aus handschriftlichen Quellen scheinen die Aufsätze über F. L's Regierungsgeschichte in den baierschen Annalen vom 9. Okt. 1832 an zu fließen. Dazu Artikel in Jäcks Pantheon, Binders kathol. Real-Encyclopädie.

Die Quellen für einzelne Abschnitte sind im Verlauf der obigen Geschichte an ihrem Orte angegeben.

II. Taufschein.

Das Taufregister von Lohr am Main meldet: „1730 den 16. Sept. Ihro Hochfreihrl. Excellenz, Herrn Philipp Christoph, Herrn von Erthal, churmainzischem geheimen Rath und Oberamtmann dahier und Marie Eva nata de Bettendorf, gnädiger Frau Eheliebsten ein junger Herr getauft und der Nahm gegeben worden, Franz Ludwig Karl Philipp Antoni.

Die Hohe Herrn Taufbothen waren Ihre churfürstlichen Gnaden Franz Ludwig (von Neuburg, von 1729 bis 1732 Kurfürst zu Mainz). H. Franz Ludwig Karl Emerikus von Breidenbach zu Büresheim, Dhomb-Dechant zu Maynz, H. Karl Dietrich von Auffsaß, beeden Hohen Dohmbstifter Bamberg und Würzburg Capitular Herr-Dhombsänger, Herr Johann Philipp von und zu Erthal, beeder Ritterstifter Comburg und Bleibenstatt Capitular-Herr."

Dem Franz Ludwig wurden in Lohr folgende Geschwister geboren: Heinrich Karl 29. Dec. 1720.

Maria Anna Magdalena 31. Jul. 1722.

Maria Sophia Margaretha Katharina 19. Juni 1725.

Maria Elisabetha Amalia Franziska 16. Juli 1728.

Friedrich Karl Anton 1. Sept. 1736, der aber sogleich wieder starb.

Friedrich Karl, welcher Kurfürst von Mainz wurde, findet sich nicht im Taufregister zu Lohr, scheint daher nicht daselbst geboren zu seyn.

Das damalige Oberamthaus oder Schloß ist jetzt Landgericht. Man zeigte das Zimmer, worin Franz Ludwig angeblich geboren wurde, bis auf die neuste Zeit; es wurde vor etwa fünf Jahren bei Erweiterung der Registratur mit beigezogen.

III. Bergs Trauerrede.

Das Domkapitel in Würzburg hatte den besten Prediger der Stadt, Professor Berg, beauftragt, die übliche Lobrede in der Domkirche auf den Entschlafnen zu halten. Dieser hatte nicht in leeren Lobeserhebungen sich gewiegt, sondern ein Charakterbild desselben und seiner Regierung gegeben.

Sein Text war Sprüch. Salom. 20. 28: Wahrheit und Güte sind die Wache des Thrones; er stellte den Entschlafnen als das Muster eines guten Fürsten dar, dessen Wirken das beste Mittel gegen (die von ihm stark gebrandmarkten) Revolutionen seie.

Berg erinnerte daran, wie die Bürger Würzburgs Franz Ludwig einst bei seiner Rückkehr von Bamberg feierlich empfingen und für das wohlfeile Brod dankten, wie er da zu dem Volk gesprochen habe: Ich habe nur meine Pflicht erfüllt; ich weiß nur zu wohl, daß ich der erste Bürger und Diener im Staate bin. — Berg hatte der Vereinfachungen im Militärwesen erwähnt und dabei gesagt, daß „wie die Fürsten der Völker, so die Offiziere der Soldaten wegen da seyn."

„Nie hörten wir ihn in asiatischem Style sprechen: das ist Unser Wille!"

Berg rühmte, wie Erthal die Heuchler entlarvt, ihre anonymen Verläumdungen, den Orden der Verdunklung, der allen Vernunftgebrauch für Jakobinismus ausgeschrieen, gestraft habe. „Schon dem Tode nahe, und dem kommenden Richter entgegensehend, beschwur er noch mit dem Reste seiner Kräfte in seinem

15 *

Teſtamente ſeinen Nachfolger, in ſeine — Religioſität, Sittlichkeit, Aufklärung bezweckende — Erziehungspläne einzutreten. Hört
es, ihr lichtſcheuen Seelen! er war überzeugt, daß Aufklärung
an ſich der Religion und Sittlichkeit nicht nachtheilig, ſondern
zuträglich ſeie! Daher unterzog er ſich auch auf dem Lande dem
Viſitiren der Schulen mit Aufopferung."

„Sein Grundſatz war, der Herzog ſei aus dem Biſchof her-
vorgekommen. Daher ermahnte er ſein Volk in Predigten und Hirtenbriefen. Wie ſehr bemühte er ſich, den unſchicklichen Prunk
vom Gottesdienſt zu entfernen, ſchädliche Vorſtellungen vom Ab-
laſſe umzubilden, die weitern Wallfahrten wenigſtens zu mäßigen,
die Geiſtlichkeit zu Fertigung eines vernünftigen und für den Zu-
ſtand unſrer Kultur paſſenden Geſang- und Gebetbuchs zu er-
wecken, dem gemeinen Mann die abergläubiſchen Andachts- und
Lehrbücher und Kalender aus den Händen zu ſpielen, und beſſere
dafür zu geben. — Bei dem Anblick ſeiner mühſeligen, ſegens-
reichen Viſitationsreiſen ſchien ſelbſt der Proteſtant mit dem Katholiken ſich zu Einer Kirche zu verbinden."

Den Hauptanſtoß in dieſer Predigt erregten bei der Sippſchaft[1]) der unverantwortlichen Privilegirten aber die Worte: „Wie
hätte er es ſich vergeben können, Wälder voll des ſchönſten mit der
Saat des Bauern gemäſteten Wildprets, und ſo viele den Wäl-
bern nahe Dörfer verarmt und entvölkert zu ſehen?"

Berg hatte allerdings durch etwas ſcharfe, unpaſſende Aus-
brücke ſelbſt Anſtoß gegeben. Aber die ganze Partei der Feinde
der Reform und der Aufklärung und alle, denen die Vorrechte
ihres Geſchlechtes, die Unverantwortlichkeit des Kapitels und ihre
Standespaſſionen über Alles gingen, waren durch die Tendenz
ſelbſt geärgert. Sie verſicherten, während der Predigt ſei das
Murren an einigen Stellen beinahe laut ausgebrochen. Die letzte
wie die meiſten obigen Stellen, auch ſeine Ausfälle gegen die franzöſiſchen Revolutionsmänner, wurden von der Würzburger Cenſur

---

1) Wir gebrauchen das Wort: Sippſchaft in ſeinem urſprünglichen, ge-
ruchloſen Sinne, wo es: Verwandtſchaft, eine Solidarität von angebornen
Intereſſen und angeerbten Anſichten bedeutet; es unterſcheidet ſich von: Partei,
welches mehr ein zufällig Zuſammengekommenes bezeichnet. Für jenes haben
wir gar kein anderes Wort.

geftrichen. Berg beharrte aber darauf, daß seine Rede ganz
oder gar nicht gedruckt wurde. Es machte weit und breit großes
Auffehen; der Druck ging auswärts mit verstärkenden An=
merkungen vor sich. Das Domkapitel hatte ihn in allgemeinen
Ausdrücken getadelt; es warf ihm vor, er habe durch das Lob
Franz Ludwigs theils den Vorgänger getadelt, theils dem Nachfol=
ger maßgebend seyn wollen, daher ihm mit deffen Ungnade ge=
droht wurde. Am wenigsten war es der Familie des vorher=
gehenden Fürstbischofs, von Seinsheim, zu verargen, daß sie sich
beklagte, der Redner habe diesen sehr in Schatten gestellt, um
seinen Helden um so heller leuchten zu lassen.

Berg stellt in den angehängten Anmerkungen sein Recht fest,
als vom Domkapitel bestellter Lobredner den Fürsten zu loben.
„Was würde sonst aus der Geschichte, welche nicht nur lobt, fon=
dern oft auch unmittelbar nach dem Tode des Fürsten tadelt?
Kurz, die Menschen haben das natürliche Recht zu loben, und —
wo der direkte Tadel nicht angeht — durch Lob zu tadeln und
der Redner übt nur diese Verrichtung im Namen des Publikums
aus. Bei einem entgegengesetzten Verfahren darbt die Redekunst
und die Geschichte wie unter den römischen Kaisern."

Was den Vorwurf betrifft, er habe damit eine für den Nach=
folger maßgebende Nothwendigkeit hinstellen wollen, antwortet er:
„ja eine moralische Nothwendigkeit, die das angeschaute Ideal von
selbst bewähre."

Eine Pasquillschrift gegen das ganze spätere fürstbischöfliche
und Kapitels=Regiment in Würzburg und Bamberg, das uns zu
Handen kam, behauptet. Berg habe nicht nur sich selbst sehr über=
schätzt, besonders in Folge der Popularität, welche ihm seine Rede
verschaffte, sondern sei auch nachher bald zu der ausschließlichen
aristokratischen Partei übergegangen.

Wir haben noch nachzutragen, daß Franz Ludwig die Herrn
von Groß und von Fechenbach zu Erben seines Vertrauens ein=
setzte, indem er sie zu seinen Testaments=Vollstreckern ernannte.
Der gute v. Fechenbach regierte nach den Grundsätzen Franz Lud=
wigs, aber mit weniger Geistesenergie und in sehr bösen Zeiten,
in Würzburg bis zur Sekularisation 1802.

IV. Leichenzettel.

† Jesus † Maria † Joseph.

Anno reparatae Salutis supra millesimum septingentesimum nonagesimo quinto, Die 14. Februarii hora quarta matutina necdum exacta, noctem et simul Diem supremum clausit, Febri pituitoso-biliosa consumptus, et Sacramentis ritu munitus.

Reverendissimus ac Celsissimus S. R. I. Princeps ac Dominus,

D. Franciscus Ludovicus

Episcopus Bambergensis et Herbipolensis, Franciae Orientalis Dux etc. etc.

Natus Lohrae Die 16. Septembris 1730 ex illustrissima Prosapia DD. LL. BB. de Erthal se ad magna natum a teneris exhibuit. Nactus Animam bonam, et summis ornatam Dotibus, spretis mundi illecebris animum ad Virtutis et Literarum studium adjecit, mentem omnigena scientia tum in publicis Academiis tum Romae excoluit, eximia probitatis ac solidae Doctrinae et singularis industriae laude ubique Celeberrimus. Spiritu vere ecclesiastico praeditus Ecclesiae Imperiali Bambergensi et Cathedrali Herbipolensi inter Canonicos adscriptus se gravioribus negotiis parem mox ostendit, probavitque. Praesidium Regiminis Herbipoli consecutus ita in hoc munere versatus est, ut Causas omnes prius ipse discuteret, quam singulas aliis discutiendas daret, idque improbo et immenso ad deliquium usque virium suarum labore. Solemni postea pro impetranda Regalium investitura ad Augustissimum Imperatorem legatione functus, et inde cum Dignitate Consiliarii intimi sacrae Caesareae Majestatis redux, atque ad altiora et ampliora deinceps vocatus Imperiali Camerae Wezlariensi Visitator datus est, qualem, id est, sapientem, providum, justum, Communis avidum boni, atque ab omni partium studio alienum mirabantur Universi. Denique in Comitiis Imperii Ratisbonensibus Imperialis Concommissarii partes qua prudentia, quo fervore expleverit, testantur multa et tanta tum ab Eo scripta, proposita, inculcata. Hisce veluti gradibus ad Sedem Episcopalem electione Unanimi primum Herbipoli Die 18. Martii 1779 ac deinde Bambergae Die 12 Aprilis e. a. et ad utrumque simul solium Principale eluctatus Die 19. Septembris dicti anni in Episcopum consecratus est, Religioni et utrique Regioni summopere profuturus: profuit autem, sive solum Episcopum, sive Principem et Ducem solum, sive Utrumque junctis manibus agentem spectemus, et quidem ommissis quae minoris momenti sunt, in gratam memoriam revocemus, nonnisi grandia, quae apud nos gesta sunt, et quorum testes nos ipsi de visu sumus. Vidimus Episcopum veluti lucernam super candelabrum positam non timentem consumi, dum arderet, modo ac luceret, ardentem igne Devotionis, et lucentem luce exempli; vidimus ad aras inter lacrymas litantem, vel bis de die Sacrificio Missae assistentem, ut Patrem luminum exoraret: in Ecclesia Cathedrali publice praedicantem, in Semenario Clericorum hospitantem, ibique Alumnos in sacra exercitia praeeuntem, eosque cum lacrymis exhortantem, ac singulis stato per reliquos annos tempore ad se vocatis iteudidem inclamantem: nolite conformari huic saeculo! sed et numerum Alumnorum auxit, imo novum Seminarium condidit, novo quoque inscriptum nomine ad Pastorem bonum, speciosum sane, ac spatiosum satis, in quo et plures et pluribus annis se ipsos praeprimis perficerent, ac deinde Artem Artium, quae est regimen animarum, eo solidius addiscerent, posita insuper in superliminari imagine Pastoris boni, ad cujus exemplum ad unum omnes efformarentur. Vidimus Episcopum vel anxia saltem mente prosecuti sumus perambulantem Civitates et Vicos Dioeceseos suae, ut Cominus nosceret vultum gregis sui, Visitantem inter mille incommoda per trium annorum intervalla Centum Parochias et ultra, templa, scholas, Missa una quotidie audita alteram Celebrando, singulis Diebus Concionando, Sacramenta Confirmationis et Eucharistiae dispensando et mores emendando, relictis ubique locorum profusae Munificentiae Vestigiis, gaudentibus incolis, advenis vero ad haec stupentibus, et nullo religionis discrimine palam dicentibus: Talem Episcopum reveremur et Nos. Sed vidimus etiam

Principem et Ducem optimum, saluti reipublicae continuo intentum, et omni Laude Majorem: pacis ac belli tempore, et in hac praesertim rerum Crisi quid et quanta non egit? quam sapienter, quam provide, quam constanter? in rebus majoris momenti et causis publicis, quae Imperii vel Patriae Jura, aut bonum commune tangerent, attentus potissimum ad sequelas, tutiora ac meliora semper eligendo, summa Animi fortitudine in alias se partes pertrahi nunquam passus, hac praecipue in arte Magistrum se probavit. Caeterum moderamine justo cuncta dirigens, provide parsimonia usus, in puniendis delictis moderate severus, in coronandis meritis liberalis, et de eo tantum anxius, quis inter bene meritos dignior? ac demum subditos omnes amore paterno complexus nonnisi grandia Spiritus vere Principalis specimina edidit, sapientissimis etiam Ordinationibus et numero plurimis et pondere maximis partim comprehensa, aeternis jam tabulis consignata. Vidimus denique Episcopum et Principem, qui, quod una potestate praestare non poterat, praestitit utraque: atque huc pertinet praeprimis immensa illa, quae indigenas et exteros attonitos habet, pro scholis ac pauperibus cura: et scholis quidem dignos rectores dedit, iisque de nova habitatione et amplioribus reditibus providit, ordinem et docendi normam praescripsit, juventutem, ne in otium difflueret, ad industriam propositis etiam praemiis animavit, et plura ad hunc per commissionem ex viris in arte peritissimis congregatam ordinavit. Beneficia vero, quae pie prodigus in sinum pauperum effudit, quis vel recensere poterit, aut quis condigne aestimare? Hospitali a magno Avunculo suo Julio pridem fundato, et Orphanotrophio trans moenum dudum erecto novam formam, novumque nitorem dedit, ac spatia utriusque laxavit eo felicissimo effectu, quem infirmi, juniores prae reliquis opifices, et orphani in dies aucti senserunt hactenus. Ut autem et aliorum pauperum inopiam sublevaret, commune pro iis Institutum fundavit, eique Commissarios, quorum sensa suis similia noverat, praefecit, hisque alios per provinciam subordinavit, quibus incumberet, necessitates singulorum examinare et remedium afferre, dum interea sumptus magna ex parte Ipse suppeditaret, quamvis praeterea adhuc alios centum et

quadraginta constanti eleemosyna sustentaret, revera propter
pauperes Ipse fere egenus factus; ac demum, ne videretur
nimis parum donasse pauperibus, donavit omnia imo et post
mortem reliqua, cum pauperes haeredes scriberet. Age nunc,
viduata Franconia! Collige ista omnia, et vide, quid tanto Epis-
copo ac tanto Principi post mortem debeas. Coronam justitiae
pro tantis meritis reddidit Dominus justus Judex. Tu vero saltem debes, quantum potes: pias lacrymas, gratam memoriam,
et quia Deus ipsas etiam justitias judicat, devotas preces pro
Anima Defuncti: memento itaque Illius in Sacrificiis et preci-
bus tuis, consuetam illam: Ecclesiae precantis formulam toto
animi affectu multoties repete:

Requiem aeternam dona ei domine! Et lux per-
petua luceat ei.

Beati, qui in Domino moriuntur: amodo jam dicit Spiritus, ut re-
quiescant a laboribus suis: Opera enim illorum sequun-
tur illos. Apoc. 14. V. 13.

Register.

Druck:
Customized Business Services GmbH
im Auftrag der KNV-Gruppe
Ferdinand-Jühlke-Str. 7
99095 Erfurt